FRIEDRICH SCHILLER

ÜBER DIE ÄSTHETISCHE ERZIEHUNG DES MENSCHEN

IN EINER REIHE VON BRIEFEN

MIT EINEM NACHWORT VON
KÄTE HAMBURGER

PHILIPP RECLAM JUN. STUTTGART

Der Text folgt: Schillers Sämtliche Werke. Säkular-Ausgabe. Zwölfter Band, Zweiter Teil. Herausgegeben von Oskar Walzel. Stuttgart/Berlin: J. G. Cotta, [1905].

Universal-Bibliothek Nr. 8994

Satz: Wenzlaff KG, Kempten (Allgäu)
Druck und Bindung: Reclam, Ditzingen. Printed in Germany 1995

ISBN 3-15-008994-8

Erster Brief.

Sie wollen mir also vergönnen, Ihnen die Resultate meiner Untersuchungen über das Schöne und die Kunst in einer Reihe von Briefen vorzulegen. Lebhaft empfinde ich das Gewicht, aber auch den Reiz und die Würde dieser Unternehmung. Ich werde von einem Gegenstande sprechen, der mit dem besten Teil unsrer Glückseligkeit in einer unmittelbaren, und mit dem moralischen Adel der menschlichen Natur in keiner sehr entfernten Verbindung steht. Ich werde die Sache der Schönheit vor einem Herzen führen, das ihre ganze Macht empfindet und ausübt und bei einer Untersuchung, wo man ebenso oft genötigt ist, sich auf Gefühle als auf Grundsätze zu berufen, den schwersten Teil meines Geschäfts auf sich nehmen wird.

Was ich mir als eine Gunst von Ihnen erbitten wollte, machen Sie großmütigerweise mir zur Pflicht und lassen mir da den Schein eines Verdienstes, wo ich bloß meiner Neigung nachgebe. Die Freiheit des Ganges, welche Sie mir vorschreiben, ist kein Zwang, vielmehr ein Bedürfnis für mich. Wenig geübt im Gebrauche schulgerechter Formen, werde ich kaum in Gefahr sein, mich durch Mißbrauch derselben an dem guten Geschmack zu versündigen. Meine Ideen, mehr aus dem einförmigen Umgange mit mir selbst als aus einer reichen Welterfahrung geschöpft oder durch Lektüre erworben, werden ihren Ursprung nicht verleugnen, werden sich eher jedes andern Fehlers als der Sektiererei schuldig machen und eher aus eigner Schwäche fallen, als durch Autorität und fremde Stärke sich aufrecht erhalten.

Zwar will ich Ihnen nicht verbergen, daß es größtenteils Kantische Grundsätze sind, auf denen die nachfolgenden Behauptungen ruhen werden; aber meinem Unvermögen, nicht jenen Grundsätzen schreiben Sie es zu, wenn Sie im Lauf dieser Untersuchungen an irgend eine besondre philosophische Schule erinnert werden sollten. Nein, die Freiheit Ihres Geistes soll mir unverletzlich sein. Ihre eigne Empfindung wird mir die Tatsachen hergeben, auf die ich baue; Ihre eigene freie Denkkraft wird die Gesetze diktieren, nach welchen verfahren werden soll.

Über diejenigen Ideen, welche in dem praktischen Teil des Kantischen Systems die herrschenden sind, sind nur die Philosophen entzweit, aber die Menschen, ich getraue mir es zu beweisen, von jeher einig gewesen. Man befreie sie von ihrer technischen Form, und sie werden als die verjährten Ansprüche der gemeinen Vernunft und als Tatsachen des moralischen Instinktes erscheinen, den die weise Natur dem Menschen zum Vormund setzte, bis die helle Einsicht ihn mündig macht. Aber eben diese technische Form, welche die Wahrheit dem Verstande versichtbart, verbirgt sie wieder dem Gefühl; denn leider muß der Verstand das Objekt des innern Sinns erst zerstören, wenn er es *sich* zu eigen machen will. Wie der Scheidekünstler, so findet auch der Philosoph nur durch Auflösung die Verbindung und nur durch die Marter der Kunst das Werk der freiwilligen Natur. Um die flüchtige Erscheinung zu haschen, muß er sie in die Fesseln der Regel schlagen, ihren schönen Körper in Begriffe zerfleischen und in einem dürftigen Wortgerippe ihren lebendigen Geist aufbewahren. Ist es ein Wunder, wenn sich das natürliche Gefühl in einem solchen Abbild nicht wiederfindet und die Wahrheit in dem Berichte des Analysten als ein Paradoxon erscheint?

Lassen Sie daher auch mir einige Nachsicht zu statten kommen, wenn die nachfolgenden Untersuchungen ihren

Gegenstand, indem sie ihn dem Verstande zu nähern suchen, den Sinnen entrücken sollten. Was dort von moralischen Erfahrungen gilt, muß in einem noch höhern Grade von der Erscheinung der Schönheit gelten. Die ganze Magie derselben beruht auf ihrem Geheimnis, und mit dem notwendigen Bund ihrer Elemente ist auch ihr Wesen aufgehoben.

Zweiter Brief.

Aber sollte ich von der Freiheit, die mir von Ihnen verstattet wird, nicht vielleicht einen bessern Gebrauch machen können, als Ihre Aufmerksamkeit auf dem Schauplatz der schönen Kunst zu beschäftigen? Ist es nicht wenigstens außer der Zeit, sich nach einem Gesetzbuch für die ästhetische Welt umzusehen, da die Angelegenheiten der moralischen ein so viel näheres Interesse darbieten und der philosophische Untersuchungsgeist durch die Zeitumstände so nachdrücklich aufgefordert wird, sich mit dem vollkommensten aller Kunstwerke, mit dem Bau einer wahren politischen Freiheit zu beschäftigen?

Ich möchte nicht gern in einem andern Jahrhundert leben und für ein andres gearbeitet haben. Man ist ebenso gut Zeitbürger, als man Staatsbürger ist; und wenn es unschicklich, ja unerlaubt gefunden wird, sich von den Sitten und Gewohnheiten des Zirkels, in dem man lebt, auszuschließen, warum sollte es weniger Pflicht sein, in der Wahl seines Wirkens dem Bedürfnis und dem Geschmack des Jahrhunderts eine Stimme einzuräumen?

Diese Stimme scheint aber keineswegs zum Vorteil der Kunst auszufallen; derjenigen wenigstens nicht, auf welche allein meine Untersuchungen gerichtet sein werden. Der Lauf der Begebenheiten hat dem Genius der

Zeit eine Richtung gegeben, die ihn je mehr und mehr von der Kunst des Ideals zu entfernen droht. Diese muß die Wirklichkeit verlassen und sich mit anständiger Kühnheit über das Bedürfnis erheben; denn die Kunst ist eine Tochter der Freiheit, und von der Notwendigkeit der Geister, nicht von der Notdurft der Materie will sie ihre Vorschrift empfangen. Jetzt aber herrscht das Bedürfnis und beugt die gesunkene Menschheit unter sein tyrannisches Joch. Der Nutzen ist das große Idol der Zeit, dem alle Kräfte fronen und alle Talente huldigen sollen. Auf dieser groben Wage hat das geistige Verdienst der Kunst kein Gewicht, und, aller Aufmunterung beraubt, verschwindet sie von dem lärmenden Markt des Jahrhunderts. Selbst der philosophische Untersuchungsgeist entreißt der Einbildungskraft eine Provinz nach der andern, und die Grenzen der Kunst verengen sich, je mehr die Wissenschaft ihre Schranken erweitert.

Erwartungsvoll sind die Blicke des Philosophen wie des Weltmanns auf den politischen Schauplatz geheftet, wo jetzt, wie man glaubt, das große Schicksal der Menschheit verhandelt wird. Verrät es nicht eine tadelnswerte Gleichgültigkeit gegen das Wohl der Gesellschaft, dieses allgemeine Gespräch nicht zu teilen? So nahe dieser große Rechtshandel, seines Inhalts und seiner Folgen wegen, jeden, der sich Mensch nennt, angeht, so sehr muß er, seiner Verhandlungsart wegen, jeden Selbstdenker insbesondere interessieren. Eine Frage, welche sonst nur durch das blinde Recht des Stärkern beantwortet wurde, ist nun, wie es scheint, vor dem Richterstuhle reiner Vernunft anhängig gemacht, und wer nur immer fähig ist, sich in das Zentrum des Ganzen zu versetzen und sein Individuum zur Gattung zu steigern, darf sich als einen Beisitzer jenes Vernunftgerichts betrachten, so wie er als Mensch und Weltbürger zugleich Partei ist und näher oder entfernter in den Erfolg sich verwickelt sieht. Es ist also nicht bloß seine eigene Sache, die in diesem großen Rechtshandel zur Entscheidung kommt; es soll auch nach Gesetzen gesprochen werden, die er als vernünftiger Geist selbst zu diktieren fähig und berechtiget ist.

Wie anziehend müßte es für mich sein, einen solchen Gegenstand mit einem ebenso geistreichen Denker als liberalen Weltbürger in Untersuchung zu nehmen und einem Herzen, das mit schönem Enthusiasmus dem Wohl der Menschheit sich weiht, die Entscheidung heimzustellen! Wie angenehm überraschend, bei einer noch so großen Verschiedenheit des Standorts und bei dem weiten Abstand, den die Verhältnisse in der wirklichen Welt nötig machen, Ihrem vorurteilfreien Geist auf dem Felde der Ideen in dem nämlichen Resultat zu begegnen! Daß ich dieser reizenden Versuchung widerstehe und die Schönheit der Freiheit vorangehen lasse, glaube ich nicht bloß mit meiner Neigung entschuldigen, sondern durch Grundsätze rechtfertigen zu können. Ich hoffe, Sie zu überzeugen, daß diese Materie weit weniger dem Bedürfnis als dem Geschmack des Zeitalters fremd ist, ja daß man, um jenes politische Problem in der Erfahrung zu lösen, durch das ästhetische den Weg nehmen muß, weil es die Schönheit ist, durch welche man zu der Freiheit wandert. Aber dieser Beweis kann nicht geführt werden, ohne daß ich Ihnen die Grundsätze in Erinnerung bringe, durch welche sich die Vernunft überhaupt bei einer politischen Gesetzgebung leitet.

Dritter Brief.

Die Natur fängt mit dem Menschen nicht besser an als mit ihren übrigen Werken: sie handelt für ihn, wo er als freie Intelligenz noch nicht selbst handeln kann.

Aber eben das macht ihn zum Menschen, daß er bei dem nicht stille steht, was die bloße Natur aus ihm machte, sondern die Fähigkeit besitzt, die Schritte, welche jene mit ihm antizipierte, durch Vernunft wieder rückwärts zu tun, das Werk der Not in ein Werk seiner freien Wahl umzuschaffen und die physische Notwendigkeit zu einer moralischen zu erheben.

Er kommt zu sich aus seinem sinnlichen Schlummer, erkennt sich als Mensch, blickt um sich her und findet sich – in dem Staate. Der Zwang der Bedürfnisse warf ihn hinein, ehe er in seiner Freiheit diesen Stand wählen konnte; die Not richtete denselben nach bloßen Naturgesetzen ein, ehe er es nach Vernunftgesetzen konnte. Aber mit diesem Notstaat, der nur aus seiner Naturbestimmung hervorgegangen und auch nur auf diese berechnet war, konnte und kann er als moralische Person nicht zufrieden sein – und schlimm für ihn, wenn er es könnte! Er verläßt also, mit demselben Rechte, womit er Mensch ist, die Herrschaft einer blinden Notwendigkeit, wie er in so vielen andern Stücken durch seine Freiheit von ihr scheidet, wie er, um nur ein Beispiel zu geben, den gemeinen Charakter, den das Bedürfnis der Geschlechtsliebe aufdrückte, durch Sittlichkeit auslöscht und durch Schönheit veredelt. So holt er, auf eine künstliche Weise, in seiner Volljährigkeit seine Kindheit nach, bildet sich einen Naturstand in der Idee, der ihm zwar durch keine Erfahrung gegeben, aber durch seine Vernunftbestimmung notwendig gesetzt ist, leiht sich in diesem idealischen Stand einen Endzweck, den er in seinem wirklichen Naturstand nicht kannte, und eine Wahl, deren er damals nicht fähig war, und verfährt nun nicht anders, als ob er von vorn anfinge und den Stand der Unabhängigkeit aus heller Einsicht und freiem Entschluß mit dem Stand der Verträge vertauschte. Wie kunstreich und fest auch die blinde Willkür ihr Werk gegründet haben, wie anmaßend sie es auch behaupten und mit welchem Scheine von Ehrwürdigkeit es umgeben mag – er darf es, bei dieser Operation, als völlig ungeschehen betrachten; denn das Werk blinder Kräfte besitzt keine Autorität, vor welcher die Freiheit sich zu beugen brauchte, und alles muß sich dem höchsten Endzwecke fügen, den die Vernunft in seiner Persönlichkeit aufstellt. Auf diese Art entsteht und rechtfertigt sich der Versuch eines mündig gewordenen Volks, seinen Naturstaat in einen sittlichen umzuformen.

Dieser Naturstaat (wie jeder politische Körper heißen kann, der seine Einrichtung ursprünglich von Kräften, nicht von Gesetzen ableitet) widerspricht nun zwar dem moralischen Menschen, dem die bloße Gesetzmäßigkeit zum Gesetz dienen soll, aber er ist doch gerade hinreichend für den physischen Menschen, der sich nur darum Gesetze gibt, um sich mit Kräften abzufinden. Nun ist aber der physische Mensch wirklich, und der sittliche nur problematisch. Hebt also die Vernunft den Naturstaat auf, wie sie notwendig muß, wenn sie den ihrigen an die Stelle setzen will, so wagt sie den physischen und wirklichen Menschen an den problematischen sittlichen, so wagt sie die Existenz der Gesellschaft an ein bloß mögliches (wenn gleich moralisch notwendiges) Ideal von Gesellschaft. Sie nimmt dem Menschen etwas, das er wirklich besitzt, und ohne welches er nichts besitzt, und weist ihn dafür an etwas an, das er besitzen könnte und sollte; und hätte sie zu viel auf ihn gerechnet, so würde sie ihm für eine Menschheit, die ihm noch mangelt und unbeschadet seiner Existenz mangeln kann, auch selbst die Mittel zur Tierheit entrissen haben, die doch die Bedingung seiner Menschheit ist. Ehe er Zeit gehabt hätte, sich mit seinem Willen an dem Gesetz fest zu halten, hätte sie unter seinen Füßen die Leiter der Natur weggezogen.

Das große Bedenken also ist, daß die physische Gesellschaft in der Zeit keinen Augenblick aufhören darf, indem die moralische in der Idee sich bildet, daß um der Würde des Menschen willen seine Existenz nicht in Gefahr geraten darf. Wenn der Künstler an einem Uhrwerk zu bessern hat, so läßt er die Räder ablaufen; aber das lebendige Uhrwerk des Staats muß gebessert werden, indem es schlägt, und hier gilt es, das rollende Rad während seines Umschwunges auszutauschen. Man muß also für die Fortdauer der Gesellschaft eine Stütze aufsuchen, die sie von dem Naturstaate, den man auflösen will, unabhängig macht.

Diese Stütze findet sich nicht in dem natürlichen Charakter des Menschen, der, selbstsüchtig und gewalttätig, vielmehr auf Zerstörung als auf Erhaltung der Gesellschaft zielt; sie findet sich ebenso wenig in seinem sittlichen Charakter, der, nach der Voraussetzung, erst gebildet werden soll, und auf den, weil er frei ist und weil er nie erscheint, von dem Gesetzgeber nie gewirkt und nie mit Sicherheit gerechnet werden könnte. Es käme also darauf an, von dem physischen Charakter die Willkür und von dem moralischen die Freiheit abzusondern – es käme darauf an, den erstern mit Gesetzen übereinstimmend, den letztern von Eindrücken abhängig zu machen – es käme darauf an, jenen von der Materie etwas weiter zu entfernen, diesen ihr um etwas näher zu bringen – um einen dritten Charakter zu erzeugen, der, mit jenen beiden verwandt, von der Herrschaft bloßer Kräfte zu der Herrschaft der Gesetze einen Übergang bahnte und, ohne den moralischen Charakter an seiner Entwicklung zu verhindern, vielmehr zu einem sinnlichen Pfand der unsichtbaren Sittlichkeit diente.

Vierter Brief.

Soviel ist gewiß: nur das Übergewicht eines solchen Charakters bei einem Volk kann eine Staatsverwandlung nach moralischen Prinzipien unschädlich machen, und auch nur ein solcher Charakter kann ihre Dauer verbürgen. Bei Aufstellung eines moralischen Staats wird auf das Sittengesetz als auf eine wirkende Kraft gerechnet, und der freie Wille wird in das Reich der Ursachen gezogen, wo alles mit strenger Notwendigkeit und Stetigkeit an einander hängt. Wir wissen aber, daß die Bestimmungen des menschlichen Willens immer zufällig bleiben, und daß nur bei dem absoluten Wesen die physische Notwendigkeit mit der moralischen zusammenfällt. Wenn also auf das sittliche Betragen des Menschen wie auf natürliche Erfolge gerechnet werden soll, so muß es Natur sein, und er muß schon durch seine Triebe zu einem solchen Verfahren geführt werden, als nur immer ein sittlicher Charakter zur Folge haben kann. Der Wille des Menschen steht aber vollkommen frei zwischen Pflicht und Neigung, und in dieses Majestätsrecht seiner Person kann und darf keine physische Nötigung greifen. Soll er also dieses Vermögen der Wahl beibehalten und nichtsdestoweniger ein zuverlässiges Glied in der Kausalverknüpfung der Kräfte sein, so kann dies nur dadurch bewerkstelligt werden, daß die Wirkungen jener beiden Triebfedern im Reich der Erscheinungen vollkommen gleich ausfallen und, bei aller Verschiedenheit in der Form, die Materie seines Wollens dieselbe bleibt; daß also seine Triebe mit seiner Vernunft übereinstimmend genug sind, um zu einer universellen Gesetzgebung zu taugen.

Jeder individuelle Mensch, kann man sagen, trägt, der Anlage und Bestimmung nach, einen reinen idealischen Menschen in sich, mit dessen unveränderlicher Einheit in allen seinen Abwechselungen übereinzustimmen die große Aufgabe seines Daseins ist*. Dieser reine Mensch, der sich mehr oder weniger deutlich in jedem Subjekt zu erkennen gibt, wird repräsentiert durch den Staat, die objektive und gleichsam kanonische Form, in der sich die Mannigfaltigkeit der Subjekte zu vereinigen trachtet. Nun lassen sich aber zwei verschiedene Arten denken, wie der Mensch in der Zeit mit dem Menschen in der Idee zusammentreffen, mithin ebenso viele, wie der Staat in den Individuen sich behaupten kann: entweder dadurch, daß der reine Mensch den empirischen unterdrückt, daß der Staat die Individuen aufhebt; oder dadurch, daß das Individuum Staat wird, daß der Mensch in der Zeit zum Menschen in der Idee sich veredelt.

Zwar in der einseitigen moralischen Schätzung fällt dieser Unterschied hinweg; denn die Vernunft ist befriedigt, wenn ihr Gesetz nur ohne Bedingung gilt: aber in der vollständigen anthropologischen Schätzung, wo mit der Form auch der Inhalt zählt und die lebendige Empfindung zugleich eine Stimme hat, wird derselbe desto mehr in Betrachtung kommen. Einheit fordert zwar die Vernunft, die Natur aber Mannigfaltigkeit, und von beiden Legislationen wird der Mensch in Anspruch genommen. Das Gesetz der erstern ist ihm durch ein unbestechliches Bewußtsein, das Gesetz der andern durch ein unvertilgbares Gefühl eingeprägt. Daher wird es jederzeit von einer noch mangelhaften Bildung zeugen, wenn der sittliche Charakter nur mit Aufopferung des natürlichen sich behaupten kann; und eine Staatsverfassung wird noch sehr unvollendet sein, die nur durch Aufhebung der Mannigfaltigkeit Einheit zu bewirken im stand ist. Der Staat soll nicht bloß den

* Ich beziehe mich hier auf eine kürzlich erschienene Schrift: „Vorlesungen über die Bestimmung des Gelehrten", von meinem Freund Fichte, wo sich eine sehr lichtvolle und noch nie auf diesem Wege versuchte Ableitung dieses Satzes findet.

objektiven und generischen, er soll auch den subjektiven und spezifischen Charakter in den Individuen ehren und, indem er das unsichtbare Reich der Sitten ausbreitet, das Reich der Erscheinung nicht entvölkern.

Wenn der mechanische Künstler seine Hand an die gestaltlose Masse legt, um ihr die Form seiner Zwecke zu geben, so trägt er kein Bedenken, ihr Gewalt anzutun; denn die Natur, die er bearbeitet, verdient für sich selbst keine Achtung, und es liegt ihm nicht an dem Ganzen um der Teile willen, sondern an den Teilen um des Ganzen willen. Wenn der schöne Künstler seine Hand an die nämliche Masse legt, so trägt er ebenso wenig Bedenken, ihr Gewalt anzutun, nur vermeidet er, sie zu zeigen. Den Stoff, den er bearbeitet, respektiert er nicht im geringsten mehr als der mechanische Künstler; aber das Auge, welches die Freiheit dieses Stoffes in Schutz nimmt, wird er durch eine scheinbare Nachgiebigkeit gegen denselben zu täuschen suchen. Ganz anders verhält es sich mit dem pädagogischen und politischen Künstler, der den Menschen zugleich zu seinem Material und zu seiner Aufgabe macht. Hier kehrt der Zweck in den Stoff zurück, und nur weil das Ganze den Teilen dient, dürfen sich die Teile dem Ganzen fügen. Mit einer ganz andern Achtung, als diejenige ist, die der schöne Künstler gegen seine Materie vorgibt, muß der Staatskünstler sich der seinigen nahen, und nicht bloß subjektiv und für einen täuschenden Effekt in den Sinnen, sondern objektiv und für das innre Wesen muß er ihrer Eigentümlichkeit und Persönlichkeit schonen.

Aber eben deswegen, weil der Staat eine Organisation sein soll, die sich durch sich selbst und für sich selbst bildet, so kann er auch nur insoferne wirklich werden, als sich die Teile zur Idee des Ganzen hinauf gestimmt haben. Weil der Staat der reinen und objektiven Menschheit in der Brust seiner Bürger zum Repräsentanten dient, so wird er gegen seine Bürger dasselbe Verhältnis zu beobachten haben, in welchem sie zu sich selber stehen, und ihre subjektive Menschheit auch nur in dem Grade ehren können, als sie zur objektiven veredelt ist. Ist der innere Mensch mit sich einig, so wird er auch bei der höchsten Universalisierung seines Betragens seine Eigentümlichkeit retten, und der Staat wird bloß der Ausleger seines schönen Instinkts, die deutlichere Formel seiner innern Gesetzgebung sein. Setzt sich hingegen in dem Charakter eines Volks der subjektive Mensch dem objektiven noch so kontradiktorisch entgegen, daß nur die Unterdrückung des erstern dem letztern den Sieg verschaffen kann, so wird auch der Staat gegen den Bürger den strengen Ernst des Gesetzes annehmen, und, um nicht ihr Opfer zu sein, eine so feindselige Individualität ohne Achtung darnieder treten müssen.

Der Mensch kann sich aber auf eine doppelte Weise entgegengesetzt sein: entweder als Wilder, wenn seine Gefühle über seine Grundsätze herrschen; oder als Barbar, wenn seine Grundsätze seine Gefühle zerstören. Der Wilde verachtet die Kunst und erkennt die Natur als seinen unumschränkten Gebieter; der Barbar verspottet und entehrt die Natur, aber verächtlicher als der Wilde fährt er häufig genug fort, der Sklave seines Sklaven zu sein. Der gebildete Mensch macht die Natur zu seinem Freund und ehrt ihre Freiheit, indem er bloß ihre Willkür zügelt.

Wenn also die Vernunft in die physische Gesellschaft ihre moralische Einheit bringt, so darf sie die Mannigfaltigkeit der Natur nicht verletzen. Wenn die Natur in dem moralischen Bau der Gesellschaft ihre Mannigfaltigkeit zu behaupten strebt, so darf der moralischen Einheit dadurch kein Abbruch geschehen; gleich weit von Einförmigkeit und Verwirrung ruht die siegende Form. Totalität des Charakters muß also bei dem Volke gefunden werden, welches fähig und würdig sein soll, den Staat der Not mit dem Staat der Freiheit zu vertauschen.

Fünfter Brief.

Ist es dieser Charakter, den uns das jetzige Zeitalter, den die gegenwärtigen Ereignisse zeigen? Ich richte meine Aufmerksamkeit sogleich auf den hervorstechendsten Gegenstand in diesem weitläuftigen Gemälde.

Wahr ist es, das Ansehen der Meinung ist gefallen, die Willkür ist entlarvt, und, obgleich noch mit Macht bewaffnet, erschleicht sie doch keine Würde mehr; der Mensch ist aus seiner langen Indolenz und Selbsttäuschung aufgewacht, und mit nachdrücklicher Stimmenmehrheit fordert er die Wiederherstellung in seine unverlierbaren Rechte. Aber er fordert sie nicht bloß; jenseits und diesseits steht er auf, sich gewaltsam zu nehmen, was ihm nach seiner Meinung mit Unrecht verweigert wird. Das Gebäude des Naturstaates wankt, seine mürben Fundamente weichen, und eine physische Möglichkeit scheint gegeben, das Gesetz auf den Thron zu stellen, den Menschen endlich als Selbstzweck zu ehren und wahre Freiheit zur Grundlage der politischen Verbindung zu machen. Vergebliche Hoffnung! Die moralische Möglichkeit fehlt, und der freigebige Augenblick findet ein unempfängliches Geschlecht.

In seinen Taten malt sich der Mensch, und welche Gestalt ist es, die sich in dem Drama der jetzigen Zeit abbildet! Hier Verwilderung, dort Erschlaffung: die zwei Äußersten des menschlichen Verfalls, und beide in einem Zeitraum vereinigt!

In den niedern und zahlreichern Klassen stellen sich uns rohe gesetzlose Triebe dar, die sich nach aufgelöstem Band der bürgerlichen Ordnung entfesseln und mit unlenksamer Wut zu ihrer tierischen Befriedigung eilen. Es mag also sein, daß die objektive Menschheit Ursache gehabt hätte, sich über den Staat zu beklagen; die subjektive muß seine Anstalten ehren. Darf man ihn tadeln, daß er die Würde der menschlichen Natur aus den Augen setzte, solange es noch galt, ihre Existenz zu verteidigen? Daß er eilte, durch die Schwerkraft zu scheiden und durch die Kohäsionskraft zu binden, wo an die bildende noch nicht zu denken war? Seine Auflösung enthält seine Rechtfertigung. Die losgebundene Gesellschaft, anstatt aufwärts in das organische Leben zu eilen, fällt in das Elementarreich zurück.

Auf der andern Seite geben uns die zivilisierten Klassen den noch widrigern Anblick der Schlaffheit und einer Depravation des Charakters, die desto mehr empört, weil die Kultur selbst ihre Quelle ist. Ich erinnere mich nicht mehr, welcher alte oder neue Philosoph die Bemerkung machte, daß das Edlere in seiner Zerstörung das Abscheulichere sei; aber man wird sie auch im Moralischen wahr finden. Aus dem Natursohne wird, wenn er ausschweift, ein Rasender; aus dem Zögling der Kunst ein Nichtswürdiger. Die Aufklärung des Verstandes, deren sich die verfeinerten Stände nicht ganz mit Unrecht rühmen, zeigt im ganzen so wenig einen veredelnden Einfluß auf die Gesinnungen, daß sie vielmehr die Verderbnis durch Maximen befestigt. Wir verleugnen die Natur auf ihrem rechtmäßigen Felde, um auf dem moralischen ihre Tyrannei zu erfahren, und indem wir ihren Eindrücken widerstreben, nehmen wir unsre Grundsätze von ihr an. Die affektierte Dezenz unsrer Sitten verweigert ihr die verzeihliche erste Stimme, um ihr, in unsrer materialistischen Sittenlehre, die entscheidende letzte einzuräumen. Mitten im Schoße der raffiniertesten Geselligkeit hat der Egoism sein System gegründet, und ohne ein geselliges Herz mit heraus zu bringen, erfahren wir alle Ansteckungen und alle Drangsale der Gesellschaft. Unser freies Urteil unterwerfen wir ihrer despotischen Meinung, unser Gefühl ihren bizarren Gebräuchen, unsern Willen ihren Verführungen; nur unsre Willkür behaupten wir gegen ihre heiligen Rechte. Stolze Selbstgenügsamkeit zieht das Herz des Weltmanns zusammen, das in dem rohen Naturmenschen noch oft sympathetisch schlägt, und wie aus einer brennenden Stadt sucht jeder nur sein elendes Eigentum aus der Verwüstung zu flüchten. Nur in einer völligen Abschwörung der Empfindsamkeit glaubt man gegen ihre Verirrungen Schutz zu finden, und der Spott, der den Schwärmer oft heilsam züchtigt, lästert mit gleich wenig Schonung das edelste Gefühl. Die Kultur, weit entfernt, uns in Freiheit zu setzen, entwickelt mit jeder Kraft, die sie in uns ausbildet, nur ein neues Bedürfnis; die Bande des Physischen schnüren sich immer beängstigender zu, so daß die Furcht, zu verlieren, selbst den feurigen Trieb nach Verbesserung erstickt und die Maxime des leidenden Gehorsams für die höchste Weisheit des Lebens gilt. So sieht man den Geist der Zeit zwischen Verkehrtheit und Rohigkeit, zwischen Unnatur und bloßer Natur, zwischen Superstition und moralischem Unglauben schwanken, und es ist bloß das Gleichgewicht des Schlimmen, was ihm zuweilen noch Grenzen setzt.

Sechster Brief.

Sollte ich mit dieser Schilderung dem Zeitalter wohl zu viel getan haben? Ich erwarte diesen Einwurf nicht, eher einen andern: daß ich zu viel dadurch bewiesen habe. Dieses Gemälde, werden Sie mir sagen, gleicht zwar der gegenwärtigen Menschheit, aber es gleicht überhaupt allen Völkern, die in der Kultur begriffen sind, weil alle ohne Unterschied durch Vernünftelei von der Natur abfallen müssen, ehe sie durch Vernunft zu ihr zurückkehren können.

Aber bei einiger Aufmerksamkeit auf den Zeitcharakter muß uns der Kontrast in Verwunderung setzen, der zwischen der heutigen Form der Menschheit und zwischen der ehemaligen, besonders der griechischen, angetroffen wird. Der Ruhm der Ausbildung und Verfeinerung, den wir mit Recht gegen jede andre bloße Natur geltend machen, kann uns gegen die griechische Natur nicht zu statten kommen, die sich mit allen Reizen der Kunst und mit aller Würde der Weisheit vermählte, ohne doch, wie die unsrige, das Opfer derselben zu sein. Die Griechen beschämen uns nicht bloß durch eine Simplizität, die unserm Zeitalter fremd ist; sie sind zugleich unsre Nebenbuhler, ja oft unsre Muster in den nämlichen Vorzügen, mit denen wir uns über die Naturwidrigkeit unsrer Sitten zu trösten pflegen. Zugleich voll Form und voll Fülle, zugleich philosophierend und bildend, zugleich zart und energisch sehen wir sie die Jugend der Phantasie mit der Männlichkeit der Vernunft in einer herrlichen Menschheit vereinigen.

Damals, bei jenem schönen Erwachen der Geisteskräfte, hatten die Sinne und der Geist noch kein strenge geschiedenes Eigentum; denn noch hatte kein Zwiespalt sie gereizt, mit einander feindselig abzuteilen und ihre Markung zu bestimmen. Die Poesie hatte noch nicht mit dem Witze gebuhlt und die Spekulation sich noch nicht durch Spitzfindigkeit geschändet. Beide konnten im Notfall ihre Verrichtungen tauschen, weil jedes, nur auf seine eigene Weise, die Wahrheit ehrte. So hoch die Vernunft auch stieg, so zog sie doch immer die Materie liebend nach, und so fein und scharf sie auch trennte, so verstümmelte sie doch nie. Sie zerlegte zwar die menschliche Natur und warf sie in ihrem herrlichen Götterkreis vergrößert aus einander, aber nicht dadurch, daß sie sie in Stücken riß, sondern dadurch, daß sie sie verschiedentlich mischte, denn die ganze Menschheit fehlte in keinem einzelnen Gott. Wie ganz anders bei uns Neuern! Auch bei uns ist das Bild der Gattung in den Individuen vergrößert aus einander geworfen – aber in Bruchstücken, nicht in veränderten Mischungen, daß man von Individuum zu Individuum herumfragen muß, um die Totalität der Gattung zusammenzulesen. Bei uns, möchte man fast versucht werden zu behaupten, äußern sich die Gemütskräfte auch in der Erfahrung so getrennt, wie der Psychologe sie in der Vorstellung scheidet, und wir sehen nicht bloß einzelne Subjekte, sondern ganze Klassen von Menschen nur einen Teil ihrer Anlagen entfalten, während daß die übrigen, wie bei verkrüppelten Gewächsen, kaum mit matter Spur angedeutet sind.

Ich verkenne nicht die Vorzüge, welche das gegenwärtige Geschlecht, als Einheit betrachtet und auf der Wage des Verstandes, vor dem besten in der Vorwelt behaupten mag; aber in geschlossenen Gliedern muß es den Wettkampf beginnen und das Ganze mit dem Ganzen sich messen. Welcher einzelne Neuere tritt heraus, Mann gegen Mann mit dem einzelnen Athenienser um den Preis der Menschheit zu streiten?

Woher wohl dieses nachteilige Verhältnis der Individuen bei allem Vorteil der Gattung? Warum qualifizierte sich der einzelne Grieche zum Repräsentanten seiner Zeit, und warum darf dies der einzelne Neuere nicht wagen? Weil jenem die alles vereinende Natur, diesem der alles trennende Verstand seine Formen erteilten.

Die Kultur selbst war es, welche der neuern Menschheit diese Wunde schlug. Sobald auf der einen Seite die erweiterte Erfahrung und das bestimmtere Denken eine schärfere Scheidung der Wissenschaften, auf der andern das verwickeltere Uhrwerk der Staaten eine strengere Absonderung der Stände und Geschäfte notwendig machte, so zerriß auch der innere Bund der menschlichen Natur, und ein verderblicher Streit entzweite ihre harmonischen Kräfte. Der intuitive und der spekulative Verstand verteilten sich jetzt feindlich gesinnt auf ihren verschiedenen Feldern, deren Grenzen sie jetzt anfingen mit Mißtrauen und Eifersucht zu bewachen, und mit der Sphäre, auf die man seine Wirksamkeit einschränkt, hat man sich auch in sich selbst einen Herrn gegeben, der nicht selten mit Unterdrückung der übrigen Anlagen zu endigen pflegt. Indem hier die luxurierende Einbildungskraft die mühsamen Pflanzungen des Verstandes verwüstet, verzehrt dort der Abstraktionsgeist das Feuer, an dem das Herz sich hätte wärmen und die Phantasie sich entzünden sollen.

Diese Zerrüttung, welche Kunst und Gelehrsamkeit in dem innern Menschen anfingen, machte der neue Geist der Regierung vollkommen und allgemein. Es war freilich nicht zu erwarten, daß die einfache Organisation der ersten Republiken die Einfalt der ersten Sitten und Verhältnisse überlebte; aber anstatt zu einem höhern animalischen Leben zu steigen, sank sie zu einer gemeinen und groben Mechanik herab. Jene Polypennatur der griechischen Staaten, wo jedes Individuum eines unabhängigen Lebens genoß und, wenn es not tat, zum Ganzen werden konnte, machte jetzt einem kunstreichen Uhrwerke Platz, wo aus der Zusammenstückelung unendlich vieler, aber lebloser Teile ein mechanisches Leben im Ganzen sich bildet. Auseinandergerissen wurden jetzt der Staat und die Kirche, die Gesetze und die Sitten; der Genuß wurde von der Arbeit, das Mittel vom Zweck, die Anstrengung von der Belohnung geschieden. Ewig nur an ein einzelnes kleines Bruchstück des Ganzen gefesselt, bildet sich der Mensch selbst nur als Bruchstück aus; ewig nur das eintönige Geräusch des Rades, das er umtreibt, im Ohre, entwickelt er nie die Harmonie seines Wesens, und anstatt die Menschheit in seiner Natur auszuprägen, wird er bloß zu einem Abdruck seines Geschäfts, seiner Wissenschaft. Aber selbst der karge fragmentarische Anteil, der die einzelnen Glieder noch an das Ganze knüpft, hängt nicht von Formen ab, die sie sich selbsttätig geben (denn wie dürfte man ihrer Freiheit ein so künstliches und lichtscheues Uhrwerk vertrauen?), sondern wird ihnen mit skrupulöser Strenge durch ein Formular vorgeschrieben, in welchem man ihre freie Einsicht gebunden hält. Der tote Buchstabe vertritt den lebendigen Verstand, und ein geübtes Gedächtnis leitet sicherer als Genie und Empfindung.

Wenn das gemeine Wesen das Amt zum Maßstab des Mannes macht, wenn es an dem einen seiner Bürger nur die Memorie, an einem andern den tabellarischen Verstand, an einem dritten nur die mechanische Fertigkeit ehrt, wenn es hier, gleichgültig gegen den Charakter, nur auf Kenntnisse dringt, dort hingegen einem Geiste der Ordnung und einem gesetzlichen Verhalten die größte Verfinsterung des Verstandes zu gut hält, wenn es zugleich diese einzelnen Fertigkeiten zu einer ebenso großen Intensität will getrieben wissen, als es dem Subjekt an Extensität erläßt – darf es uns da wundern, daß die übrigen Anlagen des Gemüts vernachlässigt werden, um der einzigen, welche ehrt und lohnt, alle Pflege zuzuwenden? Zwar wissen wir, daß das kraftvolle Genie die Grenzen seines Geschäfts nicht zu Grenzen seiner Tätigkeit macht, aber das mittelmäßige Talent verzehrt in dem Geschäfte, das ihm zum Anteil fiel, die ganze karge Summe seiner Kraft, und es muß schon kein gemeiner Kopf sein, um, unbeschadet seines Berufs, für Liebhabereien übrig zu behalten. Noch dazu ist es selten eine gute Empfehlung bei dem Staat, wenn die Kräfte die Aufträge übersteigen, oder wenn das höhere Geistesbedürfnis des Mannes von Genie seinem Amt einen Nebenbuhler gibt. So eifersüchtig ist der

Staat auf den Alleinbesitz seiner Diener, daß er sich leichter dazu entschließen wird (und wer kann ihm Unrecht geben?), seinen Mann mit einer Venus Cytherea als mit einer Venus Urania zu teilen.

Und so wird denn allmählich das einzelne konkrete Leben vertilgt, damit das Abstrakt des Ganzen sein dürftiges Dasein friste, und ewig bleibt der Staat seinen Bürgern fremd, weil ihn das Gefühl nirgends findet. Genötigt, sich die Mannigfaltigkeit seiner Bürger durch Klassifizierung zu erleichtern und die Menschheit nie anders als durch Repräsentation aus der zweiten Hand zu empfangen, verliert der regierende Teil sie zuletzt ganz und gar aus den Augen, indem er sie mit einem bloßen Machwerk des Verstandes vermengt; und der regierte kann nicht anders als mit Kaltsinn die Gesetze empfangen, die an ihn selbst so wenig gerichtet sind. Endlich überdrüssig, ein Band zu unterhalten, das ihr von dem Staate so wenig erleichtert wird, fällt die positive Gesellschaft (wie schon längst das Schicksal der meisten europäischen Staaten ist) in einen moralischen Naturstand aus einander, wo die öffentliche Macht nur eine Partei m e h r ist, gehaßt und hintergangen von dem, der sie nötig macht, und nur von dem, der sie entbehren kann, geachtet.

Konnte die Menschheit bei dieser doppelten Gewalt, die von innen und außen auf sie drückte, wohl eine andere Richtung nehmen, als sie wirklich nahm? Indem der spekulative Geist im Ideenreich nach unverlierbaren Besitzungen strebte, mußte er ein Fremdling in der Sinnenwelt werden und über der Form die Materie verlieren. Der Geschäftsgeist, in einen einförmigen Kreis von Objekten eingeschlossen und in diesem noch mehr durch Formeln eingeengt, mußte das freie Ganze sich aus den Augen gerückt sehen und zugleich mit seiner Sphäre verarmen. So wie ersterer versucht wird, das Wirkliche nach dem Denkbaren zu modeln und die subjektiven Bedingungen seiner Vorstellungskraft zu konstitutiven Gesetzen für das Dasein der Dinge zu erheben, so stürzte letzterer in das entgegenstehende Extrem, alle Erfahrung überhaupt nach einem besondern Fragment von Erfahrung zu schätzen und die Regeln seines Geschäfts jedem Geschäft ohne Unterschied anpassen zu wollen. Der eine mußte einer leeren Subtilität, der andre einer pedantischen Beschränktheit zum Raube werden, weil jener für das Einzelne zu hoch, dieser zu tief für das Ganze stand. Aber das Nachteilige dieser Geistesrichtung schränkte sich nicht bloß auf das Wissen und Hervorbringen ein; es erstreckte sich nicht weniger auf das Empfinden und Handeln. Wir wissen, daß die Sensibilität des Gemüts ihrem Grade nach von der Lebhaftigkeit, ihrem Umfange nach von dem Reichtum der Einbildungskraft abhängt. Nun muß aber das Übergewicht des analytischen Vermögens die Phantasie notwendig ihrer Kraft und ihres Feuers berauben und eine eingeschränktere Sphäre von Objekten ihren Reichtum vermindern. Der abstrakte Denker hat daher gar oft ein kaltes Herz, weil er die Eindrücke zergliedert, die doch nur als ein Ganzes die Seele rühren; der Geschäftsmann hat gar oft ein enges Herz, weil seine Einbildungskraft, in den einförmigen Kreis seines Berufs eingeschlossen, sich zu fremder Vorstellungsart nicht erweitern kann.

Es lag auf meinem Wege, die nachteilige Richtung des Zeit-Charakters und ihre Quellen aufzudecken, nicht die Vorteile zu zeigen, wodurch die Natur sie vergütet. Gerne will ich Ihnen eingestehen, daß, so wenig es auch den Individuen bei dieser Zerstückelung ihres Wesens wohl werden kann, doch die Gattung auf keine andere Art hätte Fortschritte machen können. Die Erscheinung der griechischen Menschheit war unstreitig ein Maximum, das auf dieser Stufe weder verharren noch höher steigen konnte. Nicht verharren, weil der Verstand durch den Vorrat, den er schon hatte, unausbleiblich genötigt werden mußte, sich von der Empfindung und Anschauung abzusondern und nach Deutlichkeit der Erkenntnis zu streben; auch nicht höher steigen, weil nur ein bestimmter Grad von Klarheit mit einer bestimmten Fülle und Wärme zusammen bestehen kann. Die Griechen hatten diesen Grad erreicht, und wenn sie zu einer höhern Ausbildung fortschreiten wollten, so mußten sie, wie wir, die Totalität ihres Wesens aufgeben und die Wahrheit auf getrennten Bahnen verfolgen.

Die mannigfaltigen Anlagen im Menschen zu entwickeln, war kein anderes Mittel, als sie einander entgegenzusetzen. Dieser Antagonism der Kräfte ist das große Instrument der Kultur, aber auch nur das Instrument; denn solange derselbe dauert, ist man erst auf dem Wege zu dieser. Dadurch allein, daß in dem Menschen einzelne Kräfte sich isolieren und einer ausschließenden Gesetzgebung anmaßen, geraten sie in Widerstreit mit der Wahrheit der Dinge und nötigen den Gemeinsinn, der sonst mit träger Genügsamkeit auf der äußern Erscheinung ruht, in die Tiefen der Objekte zu dringen. Indem der reine Verstand eine Autorität in der Sinnenwelt usurpiert und der empirische beschäftigt ist, ihn den Bedingungen der Erfahrung zu unterwerfen, bilden beide Anlagen sich zu möglichster Reife aus und erschöpfen den ganzen Umfang ihrer Sphäre. Indem hier die Einbildungskraft durch ihre Willkür die Weltordnung aufzulösen wagt, nötiget sie dort die Vernunft, zu den obersten Quellen der Erkenntnis zu steigen und das Gesetz der Notwendigkeit gegen sie zu Hilfe zu rufen.

Einseitigkeit in Übung der Kräfte führt zwar das Individuum unausbleiblich zum Irrtum, aber die Gattung zur Wahrheit. Dadurch allein, daß wir die ganze Energie unsers Geistes in e i n e m Brennpunkt versammeln und unser ganzes Wesen in eine einzige Kraft zusammenziehen, setzen wir dieser einzelnen Kraft gleichsam Flügel an und führen sie künstlicherweise weit über die Schranken hinaus, welche die Natur ihr gesetzt zu haben scheint. So gewiß es ist, daß alle menschliche Individuen, zusammen genommen, mit der Sehkraft, welche die Natur ihnen erteilt, nie dahin gekommen sein würden, einen Trabanten des Jupiter auszuspähn, den der Teleskop dem Astronomen entdeckt, ebenso ausgemacht ist es, daß die menschliche Denkkraft niemals eine Analysis des Unendlichen oder eine Kritik der reinen Vernunft würde aufgestellt haben, wenn nicht in einzelnen dazu berufnen Subjekten die Vernunft sich vereinzelt, von allem Stoff gleichsam losgewunden und durch die angestrengteste Abstraktion ihren Blick ins Unbedingte bewaffnet hätte. Aber wird wohl ein solcher, in reinen Verstand und reine Anschauung gleichsam aufgelöster Geist dazu tüchtig sein, die strengen Fesseln der Logik mit dem freien Gange der Dichtungskraft zu vertauschen und die Individualität der Dinge mit treuem und keuschem Sinn zu ergreifen? Hier setzt die Natur auch dem Universalgenie eine Grenze, die es nicht überschreiten kann, und die Wahrheit wird so lange Märtyrer machen, als die Philosophie noch ihr vornehmstes Geschäft daraus machen muß, Anstalten gegen den Irrtum zu treffen.

Wie viel also auch für das Ganze der Welt durch diese getrennte Ausbildung der menschlichen Kräfte gewonnen werden mag, so ist nicht zu leugnen, daß die Individuen, welche sie trifft, unter dem Fluch dieses Weltzweckes leiden. Durch gymnastische Übungen bilden sich zwar athletische Körper aus, aber nur durch das freie und gleichförmige Spiel der Glieder die Schönheit. Ebenso kann die Anspannung einzelner Geisteskräfte zwar außerordentliche, aber nur die gleichförmige Temperatur derselben glückliche und vollkommene Menschen erzeugen. Und in welchem Verhältnis stünden wir also zu dem vergangenen und kommenden Weltalter, wenn die Ausbildung der menschlichen Natur ein solches Opfer notwendig machte? Wir wären die Knechte der Menschheit gewesen, wir hätten einige Jahrtausende lang die Sklavenarbeit für sie getrieben und unsrer verstümmelten Natur die beschämenden Spuren dieser Dienstbarkeit eingedrückt – damit das spätere Geschlecht in einem seligen Müßiggange seiner moralischen Gesundheit warten und den freien Wuchs seiner Menschheit entwickeln könnte!

Kann aber wohl der Mensch dazu bestimmt sein, über irgend einem Zwecke sich selbst zu versäumen? Sollte uns die Natur durch ihre Zwecke eine Vollkommenheit rauben können, welche uns die Vernunft durch die ihrigen vorschreibt? Es muß also falsch sein, daß die Ausbildung der einzelnen Kräfte das Opfer ihrer Totalität notwendig macht; oder wenn auch das Gesetz der Natur noch so sehr dahin strebte, so muß es bei uns stehen, diese Totalität in unsrer Natur, welche die Kunst zerstört hat, durch eine höhere Kunst wieder herzustellen.

Siebenter Brief.

Sollte diese Wirkung vielleicht von dem Staat zu erwarten sein? Das ist nicht möglich, denn der Staat, wie er jetzt beschaffen ist, hat das Übel veranlaßt, und der Staat, wie ihn die Vernunft in der Idee sich aufgibt, anstatt diese bessere Menschheit begründen zu können, müßte selbst erst darauf gegründet werden. Und so hätten mich denn die bisherigen Untersuchungen wieder auf den Punkt zurückgeführt, von dem sie mich eine Zeitlang entfernten. Das jetzige Zeitalter, weit entfernt, uns diejenige Form der Menschheit aufzuweisen, welche als notwendige Bedingung einer moralischen Staatsverbesserung erkannt worden ist, zeigt uns vielmehr das direkte Gegenteil davon. Sind also die von mir aufgestellten Grundsätze richtig, und bestätigt die Erfahrung mein Gemälde der Gegenwart, so muß man jeden Versuch einer solchen Staatsveränderung so lange für unzeitig und jede darauf gegründete Hoffnung so lange für schimärisch erklären, bis die Trennung in dem innern Menschen wieder aufgehoben und seine Natur vollständig genug entwickelt ist, um selbst die Künstlerin zu sein und der politischen Schöpfung der Vernunft ihre Realität zu verbürgen.

Die Natur zeichnet uns in ihrer physischen Schöpfung den Weg vor, den man in der moralischen zu wandeln hat. Nicht eher, als bis der Kampf elementarischer Kräfte in den niedrigern Organisationen besänftiget ist, erhebt sie sich zu der edeln Bildung des physischen Menschen. Ebenso muß der Elementenstreit in dem ethischen Menschen, der Konflikt blinder Triebe, fürs erste beruhigt sein, und die grobe Entgegensetzung muß in ihm aufgehört haben, ehe man es wagen darf, die Mannigfaltigkeit zu begünstigen. Auf der andern Seite muß die Selbständigkeit seines Charakters gesichert sein und die Unterwürfigkeit unter fremde despotische Formen einer anständigen Freiheit Platz gemacht haben, ehe man die Mannigfaltigkeit in ihm der Einheit des Ideals unterwerfen darf. Wo der Naturmensch seine Willkür noch so gesetzlos mißbraucht, da darf man ihm seine Freiheit kaum zeigen; wo der künstliche Mensch seine Freiheit noch so wenig gebraucht, da darf man ihm seine Willkür nicht nehmen. Das Geschenk liberaler Grundsätze wird Verräterei an dem Ganzen, wenn es sich zu einer noch gärenden Kraft gesellt und einer schon übermächtigen Natur Verstärkung zusendet; das Gesetz der Übereinstimmung wird Tyrannei gegen das Individuum, wenn es sich mit einer schon herrschenden Schwäche und physischen Beschränkung verknüpft und so den letzten glimmenden Funken von Selbsttätigkeit und Eigentum auslöscht.

Der Charakter der Zeit muß sich also von seiner tiefen Entwürdigung erst aufrichten, dort der blinden Gewalt der Natur sich entziehen und hier zu ihrer Einfalt, Wahrheit und Fülle zurückkehren – eine Aufgabe für mehr als ein Jahrhundert. Unterdessen, gebe ich gerne zu, kann mancher Versuch im einzelnen gelingen; aber am Ganzen wird dadurch nichts gebessert sein, und der Widerspruch des Betragens wird stets gegen die Einheit der Maximen beweisen. Man wird in andern Weltteilen in dem Neger die Menschheit ehren und in Europa sie in dem Denker schänden. Die alten Grundsätze werden bleiben, aber sie werden das Kleid des Jahrhunderts tragen, und zu einer Unterdrückung, welche sonst die Kirche autorisierte, wird die Philosophie ihren Namen leihen. Von der Freiheit erschreckt, die in ihren ersten Versuchen sich immer als Feindin ankündigt, wird man dort einer bequemen Knechtschaft sich in die Arme werfen und hier, von einer pedantischen Kuratel zur Verzweiflung gebracht, in die wilde Ungebundenheit des Naturstands entspringen. Die Usurpation wird sich auf die Schwachheit der menschlichen Natur, die Insurrektion auf die Würde derselben berufen, bis endlich die große Beherrscherin aller menschlichen Dinge, die blinde Stärke, dazwischen tritt und den vorgeblichen Streit der Prinzipien wie einen gemeinen Faustkampf entscheidet.

Achter Brief.

Soll sich also die Philosophie, mutlos und ohne Hoffnung, aus diesem Gebiete zurückziehen? Während daß sich die Herrschaft der Formen nach jeder andern Richtung erweitert, soll dieses wichtigste aller Güter dem gestaltlosen Zufall preisgegeben sein? Der Konflikt blinder Kräfte soll in der politischen Welt ewig dauern und das gesellige Gesetz nie über die feindselige Selbstsucht siegen?

Nichts weniger! Die Vernunft selbst wird zwar mit dieser rauhen Macht, die ihren Waffen widersteht, unmittelbar den Kampf nicht versuchen und so wenig, als der Sohn des Saturns in der Ilias, selbsthandelnd auf den finstern Schauplatz heruntersteigen. Aber aus der Mitte der Streiter wählt sie sich den würdigsten aus, bekleidet ihn, wie Zeus seinen Enkel, mit göttlichen Waffen und bewirkt durch seine siegende Kraft die große Entscheidung.

Die Vernunft hat geleistet, was sie leisten kann, wenn sie das Gesetz findet und aufstellt; vollstrecken muß es der mutige Wille und das lebendige Gefühl. Wenn die Wahrheit im Streit mit Kräften den Sieg erhalten soll, so muß sie selbst erst zur Kraft werden und zu ihrem Sachführer im Reich der Erscheinungen einen Trieb aufstellen; denn Triebe sind die einzigen bewegenden Kräfte in der empfindenden Welt. Hat sie bis jetzt ihre siegende Kraft noch so wenig bewiesen, so liegt dies nicht an dem Verstande, der sich nicht zu entschleiern wußte, sondern an dem Herzen, das sich ihr verschloß, und an dem Triebe, der nicht für sie handelte.

Denn woher diese noch so allgemeine Herrschaft der Vorurteile und diese Verfinsterung der Köpfe bei allem Licht, das Philosophie und Erfahrung aufsteckten? Das Zeitalter ist aufgeklärt, das heißt, die Kenntnisse sind gefunden und öffentlich preisgegeben, welche hinreichen würden, wenigstens unsre praktischen Grundsätze zu berichtigen; der Geist der freien Untersuchung hat die Wahnbegriffe zerstreut, welche lange Zeit den Zugang zu der Wahrheit verwehrten, und den Grund unterwühlt, auf welchem Fanatismus und Betrug ihren Thron erbauten; die Vernunft hat sich von den Täuschungen der Sinne und von einer betrüglichen Sophistik gereinigt, und die Philosophie selbst, welche uns zuerst von ihr abtrünnig machte, ruft uns laut und dringend in den Schoß der Natur zurück – woran liegt es, daß wir noch immer Barbaren sind?

Es muß also, weil es nicht in den Dingen liegt, in den Gemütern der Menschen etwas vorhanden sein, was der Aufnahme der Wahrheit, auch wenn sie noch so hell leuchtete, und der Annahme derselben, auch wenn sie noch so lebendig überzeugte, im Wege steht. Ein alter Weiser hat es empfunden, und es liegt in dem vielbedeutenden Ausdrucke versteckt: sapere aude.

Erkühne dich, weise zu sein. Energie des Muts gehört dazu, die Hindernisse zu bekämpfen, welche sowohl die Trägheit der Natur als die Feigheit des Herzens der Belehrung entgegensetzen. Nicht ohne Bedeutung läßt der alte Mythus die Göttin der Weisheit in voller Rüstung aus Jupiters Haupte steigen; denn schon ihre erste Verrichtung ist kriegerisch. Schon in der Geburt hat sie einen harten Kampf mit den Sinnen zu bestehen, die aus ihrer süßen Ruhe nicht gerissen sein wollen. Der zahlreichere Teil der Menschen wird durch den Kampf mit der Not viel zu sehr ermüdet und abgespannt, als daß er sich zu einem neuen und härtern Kampf mit dem Irrtum aufraffen sollte. Zufrieden, wenn er selbst der sauren Mühe des Denkens entgeht, läßt er andere gern über seine Begriffe die Vormundschaft führen, und geschieht es, daß sich höhere Bedürfnisse in ihm regen, so ergreift er mit durstigem Glauben die Formeln, welche der Staat und das Priestertum für diesen Fall in Bereitschaft halten. Wenn diese unglücklichen Menschen unser Mitleiden verdienen, so trifft unsre gerechte Verachtung die andern, die ein besseres Los von dem Joch der Bedürfnisse frei macht, aber eigene Wahl darunter beugt. Diese ziehen den Dämmerschein dunkler Begriffe, wo man lebhafter fühlt und die Phantasie sich nach eignem Belieben bequeme Gestalten bildet, den Strahlen der Wahrheit vor, die das angenehme Blendwerk ihrer Träume verjagen. Auf eben diese Täuschungen, die das feindselige Licht der Erkenntnis zerstreuen soll, haben sie den ganzen Bau ihres Glücks gegründet, und sie sollten eine Wahrheit so teuer kaufen, die damit anfängt, ihnen alles zu nehmen, was Wert für sie besitzt? Sie müßten schon weise sein, um die Weisheit zu lieben: eine Wahrheit, die derjenige schon fühlte, der der Philosophie ihren Namen gab.

Nicht genug also, daß alle Aufklärung des Verstandes nur insoferne Achtung verdient, als sie auf den Charakter zurückfließt; sie geht auch gewissermaßen von dem Charakter aus, weil der Weg zu dem Kopf durch das Herz muß geöffnet werden. Ausbildung des Empfindungsvermögens ist also das dringendere Bedürfnis der Zeit, nicht bloß weil sie ein Mittel wird, die verbesserte Einsicht für das Leben wirksam zu machen, sondern selbst darum, weil sie zu Verbesserung der Einsicht erweckt.

Neunter Brief.

Aber ist hier nicht vielleicht ein Zirkel? Die theoretische Kultur soll die praktische herbeiführen, und die praktische doch die Bedingung der theoretischen sein? Alle Verbesserung im Politischen soll von Veredlung des Charakters ausgehen – aber wie kann sich unter den Einflüssen einer barbarischen Staatsverfassung der Charakter veredeln? Man müßte also zu diesem Zwecke ein Werkzeug aufsuchen, welches der Staat nicht hergibt, und Quellen dazu eröffnen, die sich bei aller politischen Verderbnis rein und lauter erhalten.

Jetzt bin ich an dem Punkt angelangt, zu welchem alle meine bisherigen Betrachtungen hingestrebt haben.

Dieses Werkzeug ist die schöne Kunst, diese Quellen öffnen sich in ihren unsterblichen Mustern.

Von allem, was positiv ist und was menschliche Konventionen einführten, ist die Kunst wie die Wissenschaft losgesprochen, und beide erfreuen sich einer absoluten Immunität von der Willkür der Menschen. Der politische Gesetzgeber kann ihr Gebiet sperren, aber darin herrschen kann er nicht. Er kann den Wahrheitsfreund ächten, aber die Wahrheit besteht; er kann den Künstler erniedrigen, aber die Kunst kann er nicht verfälschen. Zwar ist nichts gewöhnlicher, als daß beide, Wissenschaft und Kunst, dem Geist des Zeitalters huldigen und der hervorbringende Geschmack von dem beurteilenden das Gesetz empfängt. Wo der Charakter straff wird und sich verhärtet, da sehen wir die Wissenschaft streng ihre Grenzen bewachen und die Kunst in den schweren Fesseln der Regel gehn; wo der Charakter erschlafft und sich auflöst, da wird die Wissenschaft zu gefallen und die Kunst zu vergnügen streben. Ganze Jahrhunderte lang zeigen sich die Philosophen wie die Künstler geschäftig, Wahrheit und Schönheit in die Tiefen gemeiner Menschheit hinabzutauchen; jene gehen darin unter, aber mit eigner unzerstörbarer Lebenskraft ringen sich diese siegend empor.

Der Künstler ist zwar der Sohn seiner Zeit, aber schlimm für ihn, wenn er zugleich ihr Zögling oder gar noch ihr Günstling ist. Eine wohltätige Gottheit reiße den Säugling bei Zeiten von seiner Mutter Brust, nähre ihn mit der Milch eines bessern Alters und lasse ihn unter fernem griechischen Himmel zur Mündigkeit reifen. Wenn er dann Mann geworden ist, so kehre er, eine fremde Gestalt, in sein Jahrhundert zurück; aber nicht, um es mit seiner Erscheinung zu erfreuen, sondern furchtbar wie Agamemnons Sohn, um es zu reinigen. Den Stoff zwar wird er von der Gegenwart nehmen, aber die Form von einer edleren Zeit, da jenseits aller

Zeit, von der absoluten unwandelbaren Einheit seines Wesens entlehnen. Hier aus dem reinen Äther seiner dämonischen Natur rinnt die Quelle der Schönheit herab, unangesteckt von der Verderbnis der Geschlechter und Zeiten, welche tief unter ihr in trüben Strudeln sich wälzen. Seinen Stoff kann die Laune entehren, wie sie ihn geadelt hat, aber die keusche Form ist ihrem Wechsel entzogen. Der Römer des ersten Jahrhunderts hatte längst schon die Kniee vor seinen Kaisern gebeugt, als die Bildsäulen noch aufrecht standen; die Tempel blieben dem Auge heilig, als die Götter längst zum Gelächter dienten, und die Schandtaten eines Nero und Commodus beschämte der edle Stil des Gebäudes, das seine Hülle dazu gab. Die Menschheit hat ihre Würde verloren, aber die Kunst hat sie gerettet und aufbewahrt in bedeutenden Steinen; die Wahrheit lebt in der Täuschung fort, und aus dem Nachbilde wird das Urbild wieder hergestellt werden. So wie die edle Kunst die edle Natur überlebte, so schreitet sie derselben auch in der Begeisterung, bildend und erweckend, voran. Ehe noch die Wahrheit ihr siegendes Licht in die Tiefen der Herzen sendet, fängt die Dichtungskraft ihre Strahlen auf, und die Gipfel der Menschheit werden glänzen, wenn noch feuchte Nacht in den Tälern liegt.

Wie verwahrt sich aber der Künstler von den Verderbnissen seiner Zeit, die ihn von allen Seiten umfangen? Wenn er ihr Urteil verachtet. Er blicke aufwärts nach seiner Würde und dem Gesetz, nicht niederwärts nach dem Glück und nach dem Bedürfnis. Gleich frei von der eiteln Geschäftigkeit, die in den flüchtigen Augenblick gern ihre Spur drücken möchte, und von dem ungeduldigen Schwärmergeist, der auf die dürftige Geburt der Zeit den Maßstab des Unbedingten anwendet, überlasse er dem Verstande, der hier einheimisch ist, die Sphäre des Wirklichen; er aber strebe, aus dem Bunde des Möglichen mit dem Notwendigen das Ideal zu erzeugen. Dieses präge er aus in Täuschung und Wahrheit, präge es in die Spiele seiner Einbildungskraft und in den Ernst seiner Taten, präge es aus in allen sinnlichen und geistigen Formen und werfe es schweigend in die unendliche Zeit.

Aber nicht jedem, dem dieses Ideal in der Seele glüht, wurde die schöpferische Ruhe und der große geduldige Sinn verliehen, es in den verschwiegnen Stein einzudrücken oder in das nüchterne Wort auszugießen und den treuen Händen der Zeit zu vertrauen. Viel zu ungestüm, um durch dieses ruhige Mittel zu wandern, stürzt sich der göttliche Bildungstrieb oft unmittelbar auf die Gegenwart und auf das handelnde Leben und unternimmt, den formlosen Stoff der moralischen Welt umzubilden. Dringend spricht das Unglück seiner Gattung zu dem fühlenden Menschen, dringender ihre Entwürdigung, der Enthusiasmus entflammt sich, und das glühende Verlangen strebt in kraftvollen Seelen ungeduldig zur Tat. Aber befragte er sich auch, ob diese Unordnungen in der moralischen Welt seine Vernunft beleidigen oder nicht vielmehr seine Selbstliebe schmerzen? Weiß er es noch nicht, so wird er es an dem Eifer erkennen, womit er auf bestimmte und beschleunigte Wirkungen dringt. Der reine moralische Trieb ist aufs Unbedingte gerichtet, für ihn gibt es keine Zeit, und die Zukunft wird ihm zur Gegenwart, sobald sie sich aus der Gegenwart notwendig entwickeln muß. Vor einer Vernunft ohne Schranken ist die Richtung zugleich die Vollendung, und der Weg ist zurückgelegt, sobald er eingeschlagen ist.

Gib also, werde ich dem jungen Freund der Wahrheit und Schönheit zur Antwort geben, der von mir wissen will, wie er dem edeln Trieb in seiner Brust, bei allem Widerstande des Jahrhunderts, Genüge zu tun habe, gib der Welt, auf die du wirkst, die Richtung zum Guten, so wird der ruhige Rhythmus der Zeit die Entwicklung bringen. Diese Richtung hast du ihr gegeben, wenn du, lehrend, ihre Gedanken zum Notwendigen und Ewigen erhebst, wenn du, handelnd oder bildend, das Notwendige und Ewige in einen Gegenstand ihrer Triebe verwandelst. Fallen wird das Gebäude des Wahns und der Willkürlichkeit, fallen muß es, es ist schon gefallen, sobald du gewiß bist, daß es sich neigt; aber in dem innern, nicht bloß in dem äußern Menschen muß es sich neigen. In der schamhaften Stille deines Gemüts erziehe die siegende Wahrheit, stelle sie aus dir heraus in der Schönheit, daß nicht bloß der Gedanke ihr huldige, sondern auch der Sinn ihre Erscheinung liebend ergreife. Und damit es dir nicht begegne, von der Wirklichkeit das Muster zu empfangen, das du ihr geben sollst, so wage dich nicht eher in ihre bedenkliche Gesellschaft, bis du eines idealischen Gefolges in deinem Herzen versichert bist. Lebe mit deinem Jahrhundert, aber sei nicht sein Geschöpf; leiste deinen Zeitgenossen, aber was sie bedürfen, nicht was sie loben. Ohne ihre Schuld geteilt zu haben, teile mit edler Resignation ihre Strafen und beuge dich mit Freiheit unter das Joch, das sie gleich schlecht entbehren und tragen. Durch den standhaften Mut, mit dem du ihr Glück verschmähest, wirst du ihnen beweisen, daß nicht deine Feigheit sich ihren Leiden unterwirft. Denke sie dir, wie sie sein sollten, wenn du auf sie zu wirken hast, aber denke sie dir, wie sie sind, wenn du für sie zu handeln versucht wirst. Ihren Beifall suche durch ihre Würde, aber auf ihren Unwert berechne ihr Glück, so wird dein eigener Adel dort den ihrigen aufwecken und ihre Unwürdigkeit hier deinen Zweck nicht vernichten. Der Ernst deiner Grundsätze wird sie von dir scheuchen, aber im Spiele ertragen sie sie noch; ihr Geschmack ist keuscher als ihr Herz, und hier mußt du den scheuen Flüchtling ergreifen. Ihre Maximen wirst du umsonst bestürmen, ihre Taten umsonst verdammen, aber an ihrem Müßiggange kannst du deine bildende Hand versuchen. Verjage die Willkür, die Frivolität, die Rohigkeit aus ihren Vergnügungen, so wirst du sie unvermerkt auch aus ihren Handlungen, endlich aus ihren Gesinnungen verbannen. Wo du sie findest, umgib sie mit edeln, mit großen, mit geistreichen Formen, schließe sie ringsum mit den Symbolen des Vortrefflichen ein, bis der Schein die Wirklichkeit und die Kunst die Natur überwindet.

Zehnter Brief.

Sie sind also mit mir darin einig und durch den Inhalt meiner vorigen Briefe überzeugt, daß sich der Mensch auf zwei entgegengesetzten Wegen von seiner Bestimmung entfernen könne, daß unser Zeitalter wirklich auf beiden Abwegen wandle und hier der Rohigkeit, dort der Erschlaffung und Verkehrtheit zum Raub geworden sei. Von dieser doppelten Verirrung soll es durch die Schönheit zurückgeführt werden. Wie kann aber die schöne Kultur beiden entgegengesetzten Gebrechen zugleich begegnen und zwei widersprechende Eigenschaften in sich vereinigen? Kann sie in dem Wilden die Natur in Fesseln legen und in dem Barbaren dieselbe in Freiheit setzen? Kann sie zugleich anspannen und auflösen – und wenn sie nicht wirklich beides leistet, wie kann ein so großer Effekt, als die Ausbildung der Menschheit ist, vernünftigerweise von ihr erwartet werden?

Zwar hat man schon zum Überdruß die Behauptung hören müssen, daß das entwickelte Gefühl für Schönheit die Sitten verfeinere, so daß es hiezu keines neuen Beweises mehr zu bedürfen scheint. Man stützt sich auf die alltägliche Erfahrung, welche fast durchgängig mit einem gebildeten Geschmacke Klarheit des Verstandes, Regsamkeit des Gefühls, Liberalität und selbst Würde des Betragens, mit einem ungebildeten gewöhnlich das Gegenteil verbunden zeigt. Man beruft sich, zuversichtlich genug, auf das Beispiel der gesittetsten aller Nationen des Altertums, bei welcher das Schönheitsgefühl zugleich seine höchste Entwicklung erreichte, und auf das entgegengesetzte Beispiel jener teils wilden, teils barbarischen Völker, die ihre Unempfindlichkeit für das Schöne mit einem rohen oder doch austeren Charakter büßen. Nichtsdestoweniger fällt es zuweilen denkenden Köpfen ein, entweder das Faktum zu leugnen, oder doch die Rechtmäßigkeit der daraus gezogenen Schlüsse zu bezweifeln. Sie denken nicht ganz so schlimm von jener Wildheit, die man den ungebildeten Völkern zum Vorwurf macht, und nicht ganz so vorteilhaft von dieser Verfeinerung, die man an den gebildeten preist. Schon im Altertum gab es Männer, welche die schöne Kultur für nichts weniger als eine Wohltat hielten und deswegen sehr geneigt waren, den Künsten der Einbildungskraft den Eintritt in ihre Republik zu verwehren.

Nicht von denjenigen rede ich, die bloß darum die Grazien schmähn, weil sie nie ihre Gunst erfuhren. Sie, die keinen andern Maßstab des Wertes kennen als die Mühe der Erwerbung und den handgreiflichen Ertrag – wie sollten sie fähig sein, die stille Arbeit des Geschmacks an dem äußern und innern Menschen zu würdigen, und über den zufälligen Nachteilen der schönen Kultur nicht ihre wesentlichen Vorteile aus den Augen setzen? Der Mensch ohne Form verachtet alle Anmut im Vortrage als Bestechung, alle Feinheit im Umgang als Verstellung, alle Delikatesse und Großheit im Betragen als Überspannung und Affektation. Er kann es dem Günstling der Grazien nicht vergeben, daß er als Gesellschafter alle Zirkel aufheitert, als Geschäftsmann alle Köpfe nach seinen Absichten lenkt, als Schriftsteller seinem ganzen Jahrhundert vielleicht seinen Geist aufdrückt, während daß er, das Schlachtopfer des Fleißes, mit all seinem Wissen keine Aufmerksamkeit erzwingen, keinen Stein von der Stelle rücken kann. Da er jenem das genialische Geheimnis, angenehm zu sein, niemals abzulernen vermag, so bleibt ihm nichts anders übrig, als die Verkehrtheit der menschlichen Natur zu bejammern, die mehr dem Schein als dem Wesen huldigt.

Aber es gibt achtungswürdige Stimmen, die sich gegen die Wirkungen der Schönheit erklären und aus der Erfahrung mit furchtbaren Gründen dagegen gerüstet sind. „Es ist nicht zu leugnen", sagen sie, „die Reize des Schönen können in guten Händen zu löblichen Zwecken wirken, aber es widerspricht ihrem Wesen nicht, in schlimmen Händen gerade das Gegenteil zu tun und ihre seelenfesselnde Kraft für Irrtum und Unrecht zu verwenden. Eben deswegen, weil der Geschmack nur auf die Form und nie auf den Inhalt achtet, so gibt er dem Gemüt zuletzt die gefährliche Richtung, alle Realität überhaupt zu vernachlässigen und einer reizenden Einkleidung Wahrheit und Sittlichkeit aufzuopfern. Aller Sachunterschied der Dinge verliert sich, und es ist bloß die Erscheinung, die ihren Wert bestimmt. Wie viele Menschen von Fähigkeit", fahren sie fort, „werden nicht durch die verführerische Macht des Schönen von einer ernsten und anstrengenden Wirksamkeit abgezogen, oder wenigstens verleitet, sie oberflächlich zu behandeln! Wie mancher schwache Verstand wird bloß deswegen mit der bürgerlichen Einrichtung uneins, weil es der Phantasie der Poeten beliebte, eine Welt aufzustellen, worin alles ganz anders erfolgt, wo keine Konvenienz die Meinungen bindet, keine Kunst die Natur unterdrückt. Welche gefährliche Dialektik haben die Leidenschaften nicht erlernt, seitdem sie in den Gemälden der Dichter mit den glänzendsten Farben prangen und im Kampf mit Gesetzen und Pflichten gewöhnlich das Feld behalten? Was hat wohl die Gesellschaft dabei gewonnen, daß jetzt die Schönheit dem Umgang Gesetze gibt, den sonst die Wahrheit regierte, und daß der äußere Eindruck die Achtung entscheidet, die nur an das Verdienst gefesselt sein sollte? Es ist wahr, man sieht jetzt alle Tugenden blühen, die einen gefälligen Effekt in der Erscheinung machen und einen Wert in der Gesellschaft verleihen, dafür aber auch alle Ausschweifungen herrschen und alle Laster im Schwange gehn, die sich mit einer schönen Hülle vertragen." In der Tat muß es Nachdenken erregen, daß man beinahe in jeder Epoche der Geschichte, wo die Künste blühen und der Geschmack regiert, die Menschheit gesunken findet und auch nicht ein einziges Beispiel aufweisen kann, daß ein hoher Grad und eine große Allgemeinheit ästhetischer Kultur bei einem Volke mit politischer Freiheit und bürgerlicher Tugend, daß schöne Sitten mit guten Sitten, und Politur des Betragens mit Wahrheit desselben Hand in Hand gegangen wäre.

Solange Athen und Sparta ihre Unabhängigkeit behaupteten und Achtung für die Gesetze ihrer Verfassung zur Grundlage diente, war der Geschmack noch unreif, die Kunst noch in ihrer Kindheit, und es fehlte noch viel, daß die Schönheit die Gemüter beherrschte. Zwar hatte die Dichtkunst schon einen erhabenen Flug getan, aber nur mit den Schwingen des Genies, von dem wir wissen, daß es am nächsten an die Wildheit grenzt und ein Licht ist, das gern aus der Finsternis schimmert, welches also vielmehr gegen den Geschmack seines Zeitalters als für denselben zeugt. Als unter dem Perikles und Alexander das goldne Alter der Künste herbeikam und die Herrschaft des Geschmacks sich allgemeiner verbreitete, findet man Griechenlands Kraft und Freiheit nicht mehr: die Beredsamkeit verfälschte die Wahrheit, die Weisheit beleidigte in dem Mund eines Sokrates, und die Tugend in dem Leben eines Phocion. Die Römer, wissen wir, mußten erst in den bürgerlichen Kriegen ihre Kraft erschöpfen und, durch morgenländische Üppigkeit entmannt, unter das Joch eines glücklichen Dynasten sich beugen, ehe wir die griechische Kunst über die Rigidität ihres Charakters triumphieren sehen. Auch den Arabern ging die Morgenröte der Kultur nicht eher auf, als bis die Energie ihres kriegerischen Geistes unter dem Zepter der Abbassiden erschlafft war. In dem neuern Italien zeigte sich die schöne Kunst nicht eher, als nachdem der herrliche Bund der Lombarden zerrissen war, Florenz sich den Mediceern unterworfen und der Geist der Unabhängigkeit in allen jenen mutvollen Städten einer unrühmlichen Ergebung Platz gemacht hatte. Es ist beinahe überflüssig, noch an das Beispiel der neuern Nationen zu erinnern, deren Verfeinerung in demselben Verhältnisse zunahm, als ihre Selbständigkeit endigte. Wohin wir immer in der vergangenen Welt unsre Augen richten, da finden wir, daß Geschmack und Freiheit einander fliehen und daß die Schönheit nur auf den Untergang heroischer Tugenden ihre Herrschaft gründet.

Und doch ist gerade diese Energie des Charakters, mit welcher die ästhetische Kultur gewöhnlich erkauft wird, die wirksamste Feder alles Großen und Trefflichen im Menschen, deren Mangel kein anderer, wenn auch noch so großer Vorzug ersetzen kann. Hält man sich also einzig nur an das, was die bisherigen Erfahrungen über den Einfluß der Schönheit lehren, so kann man in der Tat nicht sehr aufgemuntert sein, Gefühle auszubilden, die der wahren Kultur des Menschen so gefährlich sind; und lieber wird man, auf die Gefahr der Rohigkeit und Härte, die schmelzende Kraft der Schönheit entbehren als sich bei allen Vorteilen der Verfeinerung ihren erschlaffenden Wirkungen überliefert sehen. Aber vielleicht ist die Erfahrung der Richterstuhl nicht, vor welchem sich eine Frage wie diese ausmachen läßt, und ehe man ihrem Zeugnis Gewicht einräumte, müßte erst außer Zweifel gesetzt sein, daß es dieselbe Schönheit ist, von der wir reden und gegen welche jene Beispiele zeugen. Dies scheint aber einen Begriff der Schönheit vorauszusetzen, der eine andere Quelle hat als die Erfahrung, weil durch denselben erkannt werden soll, ob das, was in der Erfahrung schön heißt, mit Recht diesen Namen führe.

Dieser reine *Vernunftbegriff* der Schönheit, wenn ein solcher sich aufzeigen ließe, müßte also – weil er aus keinem wirklichen Falle geschöpft werden kann, vielmehr unser Urteil über jeden wirklichen Fall erst berichtigt und leitet – auf dem Wege der Abstraktion gesucht und schon aus der Möglichkeit der sinnlich-vernünftigen Natur gefolgert werden können; mit einem Wort: die Schönheit müßte sich als eine notwendige Bedingung der Menschheit aufzeigen lassen. Zu dem reinen Begriff der Menschheit müssen wir uns also nunmehr erheben, und da uns die Erfahrung nur einzelne Zustände einzelner Menschen, aber niemals die Menschheit zeigt, so müssen wir aus diesen ihren individuellen und wandelbaren Erscheinungsarten das Absolute und Bleibende zu entdecken und durch Wegwerfung aller zufälligen Schranken uns der notwendigen Bedingungen ihres Daseins zu bemächtigen suchen. Zwar wird uns dieser transzendentale Weg eine Zeitlang aus dem traulichen Kreis der Erscheinungen und aus der lebendigen Gegenwart der Dinge entfernen und auf dem nackten Gefild abgezogener Begriffe verweilen – aber wir streben ja nach einem festen Grund der Erkenntnis, den nichts mehr erschüttern soll, und wer sich über die Wirklichkeit nicht hinauswagt, der wird nie die Wahrheit erobern.

Eilfter Brief.

Wenn die Abstraktion so hoch, als sie immer kann, hin aufsteigt, so gelangt sie zu zwei letzten Begriffen, be denen sie stille stehen und ihre Grenzen bekennen muß Sie unterscheidet in dem Menschen etwas, das bleibt und etwas, das sich unaufhörlich verändert. Das Blei bende nennt sie seine Person, das Wechselnde seinen Zustand.

Person und Zustand – das Selbst und seine Bestim mungen – die wir uns in dem notwendigen Wesen al eins und dasselbe denken, sind ewig zwei in dem end lichen. Bei aller Beharrung der Person wechselt der Zu stand, bei allem Wechsel des Zustands beharret die Per son. Wir gehen von der Ruhe zur Tätigkeit, vom Affek zur Gleichgültigkeit, von der Übereinstimmung zum Widerspruch, aber wir sind doch immer, und was un mittelbar aus uns folgt, bleibt. In dem absoluten Sub jekt allein beharren mit der Persönlichkeit auch all ihre Bestimmungen, weil sie aus der Persönlichkei fließen. Alles, was die Gottheit ist, ist sie deswegen weil sie ist; sie ist folglich alles auf ewig, weil si ewig ist.

Da in dem Menschen, als endlichem Wesen, Person und Zustand verschieden sind, so kann sich weder de Zustand auf die Person, noch die Person auf den Zu stand gründen. Wäre das letztere, so müßte die Person sich verändern; wäre das erstere, so müßte der Zustand beharren; also in jedem Fall entweder die Persönlich keit oder die Endlichkeit aufhören. Nicht weil wir den ken, wollen, empfinden, sind wir; nicht weil wir sind denken, wollen, empfinden wir. Wir sind, weil wir sind wir empfinden, denken und wollen, weil außer un noch etwas anderes ist.

Die Person also muß ihr eigener Grund sein, denn das Bleibende kann nicht aus der Veränderung fließen und so hätten wir denn fürs erste die Idee des absoluten, in sich selbst gegründeten Seins, d. i. die Freiheit. Der Zustand muß einen Grund haben; er muß, da er nicht durch die Person, also nicht absolut ist, erfolgen; und so hätten wir fürs zweite die Bedingung alles abhängigen Seins oder Werdens, die Zeit. „Die Zeit ist die Bedingung alles Werdens" ist ein identischer Satz, denn er sagt nichts anders als: „die Folge ist die Bedingung, daß etwas erfolgt."

Die Person, die sich in dem ewig beharrenden Ich und nur in diesem offenbart, kann nicht werden, nicht anfangen in der Zeit, weil vielmehr umgekehrt die Zeit in ihr anfangen, weil dem Wechsel ein Beharrliches zum Grund liegen muß. Etwas muß sich verändern, wenn Veränderung sein soll; dieses Etwas kann also nicht selbst schon Veränderung sein. Indem wir sagen, die Blume blühet und verwelkt, machen wir die Blume zum Bleibenden in dieser Verwandlung und leihen ihr gleichsam eine Person, an der sich jene beiden Zustände offenbaren. Daß der Mensch erst wird, ist kein Einwurf, denn der Mensch ist nicht bloß Person überhaupt, sondern Person, die sich in einem bestimmten Zustand befindet. Aller Zustand aber, alles bestimmte Dasein entsteht in der Zeit, und so muß also der Mensch, als Phänomen, einen Anfang nehmen, obgleich die reine Intelligenz in ihm ewig ist. Ohne die Zeit, das heißt, ohne es zu werden, würde er nie ein bestimmtes Wesen sein; seine Persönlichkeit würde zwar in der Anlage, aber nicht in der Tat existieren. Nur durch die Folge seiner Vorstellungen wird das beharrliche Ich sich selbst zur Erscheinung.

Die Materie der Tätigkeit also oder die Realität, welche die höchste Intelligenz aus sich selber schöpft, muß der Mensch erst empfangen, und zwar empfängt er dieselbe als etwas außer ihm Befindliches im Raume und als etwas in ihm Wechselndes in der Zeit auf dem

Wege der Wahrnehmung. Diesen in ihm wechselnden Stoff begleitet sein niemals wechselndes Ich – und in allem Wechsel beständig er selbst zu bleiben, alle Wahrnehmungen zur Erfahrung, d.h. zur Einheit der Erkenntnis, und jede seiner Erscheinungsarten in der Zeit zum Gesetz für alle Zeiten zu machen, ist die Vorschrift, die durch seine vernünftige Natur ihm gegeben ist. Nur indem er sich verändert, *existiert* er; nur indem er unveränderlich bleibt, existiert *er*. Der Mensch, vorgestellt in seiner Vollendung, wäre demnach die beharrliche Einheit, die in den Fluten der Veränderung ewig dieselbe bleibt.

Ob nun gleich ein unendliches Wesen, eine Gottheit, nicht *werden* kann, so muß man doch eine Tendenz göttlich nennen, die das eigentlichste Merkmal der Gottheit, absolute Verkündigung des Vermögens (Wirklichkeit alles Möglichen) und absolute Einheit des Erscheinens (Notwendigkeit alles Wirklichen) zu ihrer unendlichen Aufgabe hat. Die Anlage zu der Gottheit trägt der Mensch unwidersprechlich in seiner Persönlichkeit in sich; der Weg zu der Gottheit, wenn man einen Weg nennen kann, was niemals zum Ziele führt, ist ihm aufgetan in den *Sinnen*.

Seine Persönlichkeit, für sich allein und unabhängig von allem sinnlichen Stoffe betrachtet, ist bloß die Anlage zu einer möglichen unendlichen Äußerung; und solange er nicht anschaut und nicht empfindet, ist er noch weiter nichts als Form und leeres Vermögen. Seine Sinnlichkeit, für sich allein und abgesondert von aller Selbsttätigkeit des Geistes betrachtet, vermag weiter nichts, als daß sie ihn, der ohne sie bloß Form ist, zur Materie macht, aber keineswegs, daß sie die Materie mit ihm vereinigt. Solange er bloß empfindet, bloß begehrt und aus bloßer Begierde wirkt, ist er noch weiter nichts als *Welt*, wenn wir unter diesem Namen bloß den formlosen Inhalt der Zeit verstehen. Seine Sinnlichkeit ist es zwar allein, die sein Vermögen zur wirkenden Kraft macht, aber nur seine Persönlichkeit ist es, die sein Wirken zu dem seinigen macht. Um also nicht bloß Welt zu sein, muß er der Materie Form erteilen; um nicht bloß Form zu sein, muß er der Anlage, die er in sich trägt, Wirklichkeit geben. Er verwirklichet die Form, wenn er die Zeit erschafft und dem Beharrlichen die Veränderung, der ewigen Einheit seines Ichs die Mannigfaltigkeit der Welt gegenüberstellt; er formt die Materie, wenn er die Zeit wieder aufhebt, Beharrlichkeit im Wechsel behauptet und die Mannigfaltigkeit der Welt der Einheit seines Ichs unterwürfig macht.

Hieraus fließen nun zwei entgegengesetzte Anforderungen an den Menschen, die zwei Fundamentalgesetze der sinnlich-vernünftigen Natur. Das erste dringt auf absolute Realität: er soll alles zur Welt machen, was bloß Form ist, und alle seine Anlagen zur Erscheinung bringen; das zweite dringt auf absolute Formalität: er soll alles in sich vertilgen, was bloß Welt ist, und Übereinstimmung in alle seine Veränderungen bringen; mit andern Worten: er soll alles Innre veräußern und alles Äußere formen. Beide Aufgaben, in ihrer höchsten Erfüllung gedacht, führen zu dem Begriff der Gottheit zurücke, von dem ich ausgegangen bin.

Zwölfter Brief.

Zur Erfüllung dieser doppelten Aufgabe, das Notwendige in uns zur Wirklichkeit zu bringen und das Wirkliche außer uns dem Gesetz der Notwendigkeit zu unterwerfen, werden wir durch zwei entgegengesetzte Kräfte gedrungen, die man, weil sie uns antreiben, ihr Objekt zu verwirklichen, ganz schicklich Triebe nennt. Der erste dieser Triebe, den ich den sinnlichen nennen will, geht aus von dem physischen Dasein des Menschen oder von seiner sinnlichen Natur und ist beschäftigt, ihn in die Schranken der Zeit zu setzen und zur Materie zu machen: nicht ihm Materie zu geben, weil dazu schon eine freie Tätigkeit der Person gehört, welche die Materie aufnimmt und von sich, dem Beharrlichen, unterscheidet. Materie aber heißt hier nichts als Veränderung oder Realität, die die Zeit erfüllt; mithin fordert dieser Trieb, daß Veränderung sei, daß die Zeit einen Inhalt habe. Dieser Zustand der bloß erfüllten Zeit heißt Empfindung, und er ist es allein, durch den sich das physische Dasein verkündigt.

Da alles, was in der Zeit ist, nach einander ist, so wird dadurch, daß etwas ist, alles andere ausgeschlossen. Indem man auf einem Instrument einen Ton greift, ist unter allen Tönen, die es möglicherweise angeben kann, nur dieser einzige wirklich; indem der Mensch das Gegenwärtige empfindet, ist die ganze unendliche Möglichkeit seiner Bestimmungen auf diese einzige Art des Daseins beschränkt. Wo also dieser Trieb ausschließend wirkt, da ist notwendig die höchste Begrenzung vorhanden; der Mensch ist in diesem Zustande nichts als eine Größen-Einheit, ein erfüllter Moment der Zeit – oder vielmehr er ist nicht, denn seine Persönlichkeit ist solange aufgehoben, als ihn die Empfindung beherrscht und die Zeit mit sich fortreißt*.

* Die Sprache hat für diesen Zustand der Selbstlosigkeit unter der Herrschaft der Empfindung den sehr treffenden Ausdruck: außer sich sein, das heißt, außer seinem Ich sein. Obgleich diese Redensart nur da stattfindet, wo die Empfindung zum Affekt und dieser Zustand durch seine längere Dauer mehr bemerkbar wird, so ist doch jeder außer sich, solange er nur empfindet. Von diesem Zustande zur Besonnenheit zurückkehren, nennt man ebenso richtig: in sich gehen, das heißt, in sein Ich zurückkehren, seine Person wieder herstellen. Von einem, der in Ohnmacht liegt, sagt man nicht: er ist außer sich, sondern: er ist von

Soweit der Mensch endlich ist, erstreckt sich das Gebiet dieses Triebs; und da alle Form nur an einer Materie, alles Absolute nur durch das Medium der Schranken erscheint, so ist es freilich der sinnliche Trieb, an dem zuletzt die ganze Erscheinung der Menschheit befestiget ist. Aber obgleich er allein die Anlagen der Menschheit weckt und entfaltet, so ist er es doch allein, der ihre Vollendung unmöglich macht. Mit unzerreißbaren Banden fesselt er den höher strebenden Geist an die Sinnenwelt, und von ihrer freiesten Wanderung ins Unendliche ruft er die Abstraktion in die Grenzen der Gegenwart zurücke. Der Gedanke zwar darf ihm augenblicklich entfliehen, und ein fester Wille setzt sich seinen Forderungen sieghaft entgegen; aber bald tritt die unterdrückte Natur wieder in ihre Rechte zurück, um auf Realität des Daseins, auf einen Inhalt unsrer Erkenntnisse und auf einen Zweck unsers Handelns zu dringen.

Der zweite jener Triebe, den man den Formtrieb nennen kann, geht aus von dem absoluten Dasein des Menschen oder von seiner vernünftigen Natur und ist bestrebt, ihn in Freiheit zu setzen, Harmonie in die Verschiedenheit seines Erscheinens zu bringen und bei allem Wechsel des Zustands seine Person zu behaupten. Da nun die letztere als absolute und unteilbare Einheit mit sich selbst nie im Widerspruch sein kann, da wir in alle Ewigkeit wir sind, so kann derjenige Trieb, der auf Behauptung der Persönlichkeit dringt, nie etwas anders fordern, als was er in alle Ewigkeit fordern muß; er entscheidet also für immer, wie er für jetzt entscheidet, und gebietet für jetzt, was er für immer gebietet. Er umfaßt mithin die ganze Folge der Zeit, das ist soviel als: er hebt die Zeit, er hebt die Veränderung

sich, d. h. er ist seinem Ich geraubt, da jener nur nicht in demselben ist. Daher ist derjenige, der aus einer Ohnmacht zurückkehrte, bloß bei sich, welches sehr gut mit dem Außersichsein bestehen kann.

auf; er will, daß das Wirkliche notwendig und ewig, und daß das Ewige und Notwendige wirklich sei; mit andern Worten: er dringt auf Wahrheit und auf Recht.

Wenn der erste nur Fälle macht, so gibt der andre Gesetze – Gesetze für jedes Urteil, wenn es Erkenntnisse, Gesetze für jeden Willen, wenn es Taten betrifft. Es sei nun, daß wir einen Gegenstand erkennen, daß wir einem Zustande unsers Subjekts objektive Gültigkeit beilegen, oder daß wir aus Erkenntnissen handeln, daß wir das Objektive zum Bestimmungsgrund unsers Zustandes machen – in beiden Fällen reißen wir diesen Zustand aus der Gerichtsbarkeit der Zeit und gestehen ihm Realität für alle Menschen und alle Zeiten, d. i. Allgemeinheit und Notwendigkeit zu. Das Gefühl kann bloß sagen: das ist wahr für dieses Subjekt und in diesem Moment, und ein anderer Moment, ein anderes Subjekt kann kommen, das die Aussage der gegenwärtigen Empfindung zurücknimmt. Aber wenn der Gedanke einmal ausspricht: das ist, so entscheidet er für immer und ewig, und die Gültigkeit seines Ausspruchs ist durch die Persönlichkeit selbst verbürgt, die allem Wechsel Trotz bietet. Die Neigung kann bloß sagen: das ist für dein Individuum und für dein jetziges Bedürfnis gut, aber dein Individuum und dein jetziges Bedürfnis wird die Veränderung mit sich fortreißen und, was du jetzt feurig begehrst, dereinst zum Gegenstand deines Abscheues machen. Wenn aber das moralische Gefühl sagt: das soll sein, so entscheidet es für immer und ewig – wenn du Wahrheit bekennst, weil sie Wahrheit ist, und Gerechtigkeit ausübst, weil sie Gerechtigkeit ist, so hast du einen einzelnen Fall zum Gesetz für alle Fälle gemacht, einen Moment in deinem Leben als Ewigkeit behandelt.

Wo also der Formtrieb die Herrschaft führt und das reine Objekt in uns handelt, da ist die höchste Erweiterung des Seins, da verschwinden alle Schranken, da hat sich der Mensch aus einer Größen-Einheit, auf welche der dürftige Sinn ihn beschränkte, zu einer Ideen-Einheit erhoben, die das ganze Reich der Erscheinungen unter sich faßt. Wir sind bei dieser Operation nicht mehr in der Zeit, sondern die Zeit ist in uns mit ihrer ganzen nie endenden Reihe. Wir sind nicht mehr Individuen, sondern Gattung; das Urteil aller Geister ist durch das unsrige ausgesprochen, die Wahl aller Herzen ist repräsentiert durch unsre Tat.

Dreizehnter Brief.

Beim ersten Anblick scheint nichts einander mehr entgegengesetzt zu sein als die Tendenzen dieser beiden Triebe, indem der eine auf Veränderung, der andre auf Unveränderlichkeit dringt. Und doch sind es diese beiden Triebe, die den Begriff der Menschheit erschöpfen, und ein dritter Grundtrieb, der beide vermitteln könnte, ist schlechterdings ein undenkbarer Begriff. Wie werden wir also die Einheit der menschlichen Natur wieder herstellen, die durch diese ursprüngliche und radikale Entgegensetzung völlig aufgehoben scheint?

Wahr ist es, ihre Tendenzen widersprechen sich, aber, was wohl zu bemerken ist, nicht in denselben Objekten, und was nicht auf einander trifft, kann nicht gegen einander stoßen. Der sinnliche Trieb fordert zwar Veränderung, aber er fordert nicht, daß sie auch auf die Person und ihr Gebiet sich erstrecke, daß ein Wechsel der Grundsätze sei. Der Formtrieb dringt auf Einheit und Beharrlichkeit – aber er will nicht, daß mit der Person sich auch der Zustand fixiere, daß Identität der Empfindung sei. Sie sind einander also von Natur nicht entgegengesetzt, und wenn sie demohngeachtet so erscheinen, so sind sie es erst geworden durch eine freie Übertretung der Natur, indem sie sich selbst mißverstehen und ihre Sphären verwirren*. Über diese zu wachen und einem jeden dieser beiden Triebe seine

* Sobald man einen ursprünglichen, mithin notwendigen Antagonism beider Triebe behauptet, so ist freilich kein anderes Mittel, die Einheit im Menschen zu erhalten, als daß man den sinnlichen Trieb dem vernünftigen unbedingt unterordnet. Daraus aber kann bloß Einförmigkeit, aber keine Harmonie entstehen, und der Mensch bleibt noch ewig fort geteilt. Die Unterordnung muß allerdings sein, aber wechselseitig: denn wenn gleich die Schranken nie das Absolute begründen können, also die Freiheit nie von der Zeit abhängen kann, so ist es ebenso gewiß, daß das Absolute durch sich selbst nie die Schranken begründen, daß der Zustand in der Zeit nicht von der Freiheit abhängen kann. Beide Prinzipien sind einander also zugleich subordiniert und koordiniert, d. h. sie stehen in Wechselwirkung: ohne Form keine Materie, ohne Materie keine Form. (Diesen Begriff der Wechselwirkung und die ganze Wichtigkeit desselben findet man vortrefflich auseinandergesetzt in Fichtes „Grundlage der gesamten Wissenschaftslehre". Leipzig 1794.) Wie es mit der Person im Reich der Ideen stehe, wissen wir freilich nicht; aber daß sie, ohne Materie zu empfangen, in dem Reiche der Zeit sich nicht offenbaren könne, wissen wir gewiß; in diesem Reiche also wird die Materie nicht bloß unter der Form, sondern auch neben der Form und unabhängig von derselben etwas zu bestimmen haben. So notwendig es also ist, daß das Gefühl im Gebiet der Vernunft nichts entscheide, ebenso notwendig ist es, daß die Vernunft im Gebiet des Gefühls sich nichts zu bestimmen anmaße. Schon indem man jedem von beiden ein Gebiet zuspricht, schließt man das andere davon aus und setzt jedem eine Grenze, die nicht anders als zum Nachteile beider überschritten werden kann.

In einer Transcendental-Philosophie, wo alles darauf ankommt, die Form von dem Inhalt zu befreien und das Notwendige von allem Zufälligen rein zu erhalten, gewöhnt man sich gar leicht, das Materielle sich bloß als Hindernis zu denken und die Sinnlichkeit, weil sie gerade bei diesem Geschäft im Wege steht, in einem notwendigen Widerspruch mit der Vernunft vorzustellen. Eine solche Vorstellungsart liegt zwar auf keine Weise im Geiste des Kantischen Systems, aber im Buchstaben desselben könnte sie gar wohl liegen.

Grenzen zu sichern, ist die Aufgabe der Kultur, die also beiden eine gleiche Gerechtigkeit schuldig ist und nicht bloß den vernünftigen Trieb gegen den sinnlichen, sondern auch diesen gegen jenen zu behaupten hat. Ihr Geschäft ist also doppelt: erstlich: die Sinnlichkeit gegen die Eingriffe der Freiheit zu verwahren; zweitens: die Persönlichkeit gegen die Macht der Empfindungen sicher zu stellen. Jenes erreicht sie durch Ausbildung des Gefühlvermögens, dieses durch Ausbildung des Vernunftvermögens.

Da die Welt ein Ausgedehntes in der Zeit, Veränderung, ist, so wird die Vollkommenheit desjenigen Vermögens, welches den Menschen mit der Welt in Verbindung setzt, größtmöglichste Veränderlichkeit und Extensität sein müssen. Da die Person das Bestehende in der Veränderung ist, so wird die Vollkommenheit desjenigen Vermögens, welches sich dem Wechsel entgegensetzen soll, größtmöglichste Selbständigkeit und Intensität sein müssen. Je vielseitiger sich die Empfänglichkeit ausbildet, je beweglicher dieselbe ist, und je mehr Fläche sie den Erscheinungen darbietet, desto mehr Welt ergreift der Mensch, desto mehr Anlagen entwickelt er in sich; je mehr Kraft und Tiefe die Persönlichkeit, je mehr Freiheit die Vernunft gewinnt, desto mehr Welt begreift der Mensch, desto mehr Form schafft er außer sich. Seine Kultur wird also darin bestehen: erstlich: dem empfangenden Vermögen die vielfältigsten Berührungen mit der Welt zu verschaffen und auf seiten des Gefühls die Passivität aufs Höchste zu treiben; zweitens: dem bestimmenden Vermögen die höchste Unabhängigkeit von dem empfangenden zu erwerben und auf seiten der Vernunft die Aktivität aufs Höchste zu treiben. Wo beide Eigenschaften sich vereinigen, da wird der Mensch mit der höchsten Fülle von Dasein die höchste Selbständigkeit und Freiheit verbinden und, anstatt sich an die Welt zu verlieren, diese vielmehr mit der ganzen Unendlichkeit ihrer Erscheinungen in sich ziehen und der Einheit seiner Vernunft unterwerfen.

Dieses Verhältnis nun kann der Mensch umkehren und dadurch auf eine zweifache Weise seine Bestimmung verfehlen. Er kann die Intensität, welche die tätige Kraft erheischt, auf die leidende legen, durch den Stofftrieb dem Formtriebe vorgreifen und das empfangende Vermögen zum bestimmenden machen. Er kann die Extensität, welche der leidenden Kraft gebührt, der tätigen zuteilen, durch den Formtrieb dem Stofftriebe vorgreifen und dem empfangenden Vermögen das bestimmende unterschieben. In dem ersten Fall wird er nie er selbst, in dem zweiten wird er nie etwas anders sein, mithin eben darum in beiden Fällen keines von beiden, folglich – Null sein*.

* Der schlimme Einfluß einer überwiegenden Sensualität auf unser Denken und Handeln fällt jedermann leicht in die Augen; nicht so leicht, ob er gleich ebenso häufig vorkommt und ebenso wichtig ist, der nachteilige Einfluß einer überwiegenden Rationalität auf unsre Erkenntnis und auf unser Betragen. Man erlaube mir daher, aus der großen Menge der hieher gehörenden Fälle nur zwei in Erinnerung zu bringen, welche den Schaden einer der Anschauung und Empfindung vorgreifenden Denk- und Willenskraft ins Licht setzen können.

Eine der vornehmsten Ursachen, warum unsre Natur-Wissenschaften so langsame Schritte machen, ist offenbar der allgemeine und kaum bezwingbare Hang zu teleologischen Urteilen, bei denen sich, sobald sie konstitutiv gebraucht werden, das bestimmende Vermögen dem empfangenden unterschiebt. Die Natur mag unsre Organe noch so nachdrücklich und noch so vielfach berühren – alle ihre Mannigfaltigkeit ist verloren für uns, weil wir nichts in ihr suchen, als was wir in sie hineingelegt haben, weil wir ihr nicht erlauben, sich gegen uns herein zu bewegen, sondern vielmehr mit ungeduldig vorgreifender Vernunft gegen sie hinaus streben. Kommt alsdann in Jahrhunderten einer, der sich ihr mit ruhigen, keuschen und offenen Sinnen naht und deswegen auf

Wird nämlich der sinnliche Trieb bestimmend, macht der Sinn den Gesetzgeber, und unterdrückt die Welt die

eine Menge von Erscheinungen stößt, die wir bei unsrer Prävention übersehen haben, so erstaunen wir höchlich darüber, daß so viele Augen bei so hellem Tag nichts bemerkt haben sollen. Dieses voreilige Streben nach Harmonie, ehe man die einzelnen Laute beisammen hat, die sie ausmachen sollen, diese gewalttätige Usurpation der Denkkraft in einem Gebiete, wo sie nicht unbedingt zu gebieten hat, ist der Grund der Unfruchtbarkeit so vieler denkenden Köpfe für das Beste der Wissenschaft, und es ist schwer zu sagen, ob die Sinnlichkeit, welche keine Form annimmt, oder die Vernunft, welche keinen Inhalt abwartet, der Erweiterung unserer Kenntnisse mehr geschadet haben.

Ebenso schwer dürfte es zu bestimmen sein, ob unsre praktische Philanthropie mehr durch die Heftigkeit unsrer Begierden oder durch die Rigidität unsrer Grundsätze, mehr durch den Egoism unsrer Sinne oder durch den Egoism unsrer Vernunft gestört und erkältet wird. Um uns zu teilnehmenden, hilfreichen, tätigen Menschen zu machen, müssen sich Gefühl und Charakter mit einander vereinigen, so wie, um uns Erfahrung zu verschaffen, Offenheit des Sinnes mit Energie des Verstandes zusammentreffen muß. Wie können wir, bei noch so lobenswürdigen Maximen, billig, gütig und menschlich gegen andere sein, wenn uns das Vermögen fehlt, fremde Natur treu und wahr in uns aufzunehmen, fremde Situationen uns anzueignen, fremde Gefühle zu den unsrigen zu machen? Dieses Vermögen aber wird sowohl in der Erziehung, die wir empfangen, als in der, die wir selbst uns geben, in demselben Maße unterdrückt, als man die Macht der Begierden zu brechen und den Charakter durch Grundsätze zu befestigen sucht. Weil es Schwierigkeit kostet, bei aller Regsamkeit des Gefühls seinen Grundsätzen treu zu bleiben, so ergreift man das bequemere Mittel, durch Abstumpfung der Gefühle den Charakter sicher zu stellen: denn freilich ist es unendlich leichter, vor einem entwaffneten Gegner Ruhe zu haben, als einen mutigen und rüstigen Feind zu beherrschen. In dieser Operation besteht dann auch größtenteils das, was man einen Menschen formieren nennt, und zwar im besten Sinne des Worts, wo es Bearbeitung des innern, nicht bloß des äußern Menschen bedeutet. Ein so formierter Mensch wird freilich davor gesichert sein, rohe Natur zu sein und als solche zu erschei-

Person, so hört sie in demselben Verhältnisse auf, Objekt zu sein, als sie Macht wird. Sobald der Mensch nur Inhalt der Zeit ist, so ist e r nicht, und er h a t folglich auch keinen Inhalt. Mit seiner Persönlichkeit ist auch sein Zustand aufgehoben, weil beides Wechselbegriffe sind – weil die Veränderung ein Beharrliches und die begrenzte Realität eine unendliche fordert. Wird der Formtrieb empfangend, das heißt, kommt die Denkkraft der Empfindung zuvor und unterschiebt die Person sich der Welt, so hört sie in demselben Verhältnis auf, selbständige Kraft und Subjekt zu sein, als sie sich in den Platz des Objektes drängt, weil das Beharrliche die Veränderung, und die absolute Realität zu ihrer Verkündigung Schranken fordert. Sobald der Mensch nur Form i s t, so h a t er keine Form, und mit dem Zustand ist folglich auch die Person aufgehoben. Mit einem Wort: nur insofern er selbständig ist, ist Realität außer ihm, ist er empfänglich; nur insofern er empfänglich ist, ist Realität in ihm, ist er eine denkende Kraft.

nen; er wird aber zugleich gegen alle Empfindungen der Natur durch Grundsätze geharnischt sein, und die Menschheit von außen wird ihm ebenso wenig als die Menschheit von innen beikommen können.

Es ist ein sehr verderblicher Mißbrauch, der von dem Ideal der Vollkommenheit gemacht wird, wenn man es bei der Beurteilung anderer Menschen und in den Fällen, wo man für sie wirken soll, in seiner ganzen Strenge zum Grund legt. Jenes wird zur Schwärmerei, dieses zur Härte und zur Kaltsinnigkeit führen. Man macht sich freilich seine gesellschaftlichen Pflichten ungemein leicht, wenn man dem w i r k l i c h e n Menschen, der unsre Hilfe auffordert, in Gedanken den I d e a l - Menschen unterschiebt, der sich wahrscheinlich selbst helfen könnte. Strenge gegen sich selbst, mit Weichheit gegen andre verbunden, macht den wahrhaft vortrefflichen Charakter aus. Aber meistens wird der gegen andere weiche Mensch es auch gegen sich selbst, und der gegen sich selbst strenge es auch gegen andere sein; weich gegen sich und streng gegen andre ist der verächtlichste Charakter.

Beide Triebe haben also Einschränkung und, insofern sie als Energien gedacht werden, Abspannung nötig; jener, daß er sich nicht ins Gebiet der Gesetzgebung, dieser, daß er sich nicht ins Gebiet der Empfindung eindringe. Jene Abspannung des sinnlichen Triebes darf aber keineswegs die Wirkung eines physischen Unvermögens und einer Stumpfheit der Empfindungen sein, welche überall nur Verachtung verdient; sie muß eine Handlung der Freiheit, eine Tätigkeit der Person sein, die durch ihre moralische Intensität jene sinnliche mäßigt und durch Beherrschung der Eindrücke ihnen an Tiefe nimmt, um ihnen an Fläche zu geben. Der Charakter muß dem Temperament seine Grenzen bestimmen, denn nur an den Geist darf der Sinn verlieren. Jene Abspannung des Formtriebs darf ebenso wenig die Wirkung eines geistigen Unvermögens und einer Schlaffheit der Denk- oder Willenskräfte sein, welche die Menschheit erniedrigen würde. Fülle der Empfindungen muß ihre rühmliche Quelle sein; die Sinnlichkeit selbst muß mit siegender Kraft ihr Gebiet behaupten und der Gewalt widerstreben, die ihr der Geist durch seine vorgreifende Tätigkeit gerne zufügen möchte. Mit einem Wort: den Stofftrieb muß die Persönlichkeit, und den Formtrieb die Empfänglichkeit oder die Natur in seinen gehörigen Schranken halten.

Vierzehnter Brief.

Wir sind nunmehr zu dem Begriff einer solchen Wechselwirkung zwischen beiden Trieben geführt worden, wo die Wirksamkeit des einen die Wirksamkeit des andern zugleich begründet und begrenzt, und wo jeder einzelne für sich gerade dadurch zu seiner höchsten Verkündigung gelangt, daß der andere tätig ist.

Dieses Wechselverhältnis beider Triebe ist zwar bloß

eine Aufgabe der Vernunft, die der Mensch nur in der Vollendung seines Daseins ganz zu lösen im stand ist. Es ist im eigentlichsten Sinne des Worts die Idee seiner Menschheit, mithin ein Unendliches, dem er sich im Laufe der Zeit immer mehr nähern kann, aber ohne es jemals zu erreichen. „Er soll nicht auf Kosten seiner Realität nach Form, und nicht auf Kosten der Form nach Realität streben; vielmehr soll er das absolute Sein durch ein bestimmtes und das bestimmte Sein durch ein unendliches suchen. Er soll sich eine Welt gegenüber stellen, weil er Person ist, und soll Person sein, weil ihm eine Welt gegenüber steht. Er soll empfinden, weil er sich bewußt ist, und soll sich bewußt sein, weil er empfindet." – Daß er dieser Idee wirklich gemäß, folglich in voller Bedeutung des Worts Mensch ist, kann er nie in Erfahrung bringen, solange er nur einen dieser beiden Triebe ausschließend oder nur einen nach dem andern befriedigt: denn solange er nur empfindet, bleibt ihm seine Person oder seine absolute Existenz, und, solange er nur denkt, bleibt ihm seine Existenz in der Zeit oder sein Zustand Geheimnis. Gäbe es aber Fälle, wo er diese doppelte Erfahrung zugleich machte, wo er sich zugleich seiner Freiheit bewußt würde und sein Dasein empfände, wo er sich zugleich als Materie fühlte und als Geist kennen lernte, so hätte er in diesen Fällen, und schlechterdings nur in diesen, eine vollständige Anschauung seiner Menschheit, und der Gegenstand, der diese Anschauung ihm verschaffte, würde ihm zu einem Symbol seiner ausgeführten Bestimmung, folglich (weil diese nur in der Allheit der Zeit zu erreichen ist) zu einer Darstellung des Unendlichen dienen.

Vorausgesetzt, daß Fälle dieser Art in der Erfahrung vorkommen können, so würden sie einen neuen Trieb in ihm aufwecken, der eben darum, weil die beiden andern in ihm zusammenwirken, einem jeden derselben, einzeln betrachtet, entgegengesetzt sein und mit Recht für einen neuen Trieb gelten würde. Der sinnliche Trieb will, daß Veränderung sei, daß die Zeit einen Inhalt habe; der Formtrieb will, daß die Zeit aufgehoben, daß keine Veränderung sei. Derjenige Trieb also, in welchem beide verbunden wirken (es sei mir einstweilen, bis ich diese Benennung gerechtfertigt haben werde, vergönnt, ihn Spieltrieb zu nennen), der Spieltrieb also würde dahin gerichtet sein, die Zeit in der Zeit aufzuheben, Werden mit absolutem Sein, Veränderung mit Identität zu vereinbaren.

Der sinnliche Trieb will bestimmt werden, er will sein Objekt empfangen; der Formtrieb will selbst bestimmen, er will sein Objekt hervorbringen; der Spieltrieb wird also bestrebt sein, so zu empfangen, wie er selbst hervorgebracht hätte, und so hervorzubringen, wie der Sinn zu empfangen trachtet.

Der sinnliche Trieb schließt aus seinem Subjekt alle Selbsttätigkeit und Freiheit, der Formtrieb schließt aus dem seinigen alle Abhängigkeit, alles Leiden aus. Ausschließung der Freiheit ist aber physische, Ausschließung des Leidens ist moralische Notwendigkeit. Beide Triebe nötigen also das Gemüt, jener durch Naturgesetze, dieser durch Gesetze der Vernunft. Der Spieltrieb also, als in welchem beide verbunden wirken, wird das Gemüt zugleich moralisch und physisch nötigen; er wird also, weil er alle Zufälligkeit aufhebt, auch alle Nötigung aufheben und den Menschen sowohl physisch als moralisch in Freiheit setzen. Wenn wir jemand mit Leidenschaft umfassen, der unsrer Verachtung würdig ist, so empfinden wir peinlich die Nötigung der Natur. Wenn wir gegen einen andern feindlich gesinnt sind, der uns Achtung abnötigt, so empfinden wir peinlich die Nötigung der Vernunft. Sobald er aber zugleich unsre Neigung interessiert und unsre Achtung sich erworben, so verschwindet sowohl der Zwang der Empfindung als der Zwang der Vernunft, und wir fangen an, ihn zu lieben, d. h. zugleich mit unsrer Neigung und mit unsrer Achtung zu spielen.

Indem uns ferner der sinnliche Trieb physisch und der Formtrieb moralisch nötigt, so läßt jener unsre formale, dieser unsre materiale Beschaffenheit zufällig; das heißt, es ist zufällig, ob unsere Glückseligkeit mit unsrer Vollkommenheit, oder ob diese mit jener übereinstimmen werde. Der Spieltrieb also, in welchem beide vereinigt wirken, wird zugleich unsre formale und unsre materiale Beschaffenheit, zugleich unsre Vollkommenheit und unsre Glückseligkeit zufällig machen; er wird also, eben weil er beide zufällig macht, und weil mit der Notwendigkeit auch die Zufälligkeit verschwindet, die Zufälligkeit in beiden wieder aufheben, mithin Form in die Materie und Realität in die Form bringen. In demselben Maße, als er den Empfindungen und Affekten ihren dynamischen Einfluß nimmt, wird er sie mit Ideen der Vernunft in Übereinstimmung bringen, und in demselben Maße, als er den Gesetzen der Vernunft ihre moralische Nötigung benimmt, wird er sie mit dem Interesse der Sinne versöhnen.

Fünfzehnter Brief.

Immer näher komm' ich dem Ziel, dem ich Sie auf einem wenig ermunternden Pfade entgegen führe. Lassen Sie es sich gefallen, mir noch einige Schritte weiter zu folgen, so wird ein desto freierer Gesichtskreis sich auftun und eine muntre Aussicht die Mühe des Wegs vielleicht belohnen.

Der Gegenstand des sinnlichen Triebes, in einem allgemeinen Begriff ausgedrückt, heißt Leben in weitester Bedeutung; ein Begriff, der alles materiale Sein und alle unmittelbare Gegenwart in den Sinnen bedeutet. Der Gegenstand des Formtriebes, in einem allgemeinen Begriff ausgedrückt, heißt Gestalt, sowohl in uneigentlicher als in eigentlicher Bedeutung; ein Begriff, der alle formalen Beschaffenheiten der Dinge und alle Beziehungen derselben auf die Denkkräfte unter sich faßt. Der Gegenstand des Spieltriebes, in einem allgemeinen Schema vorgestellt, wird also lebende Gestalt heißen können; ein Begriff, der allen ästhetischen Beschaffenheiten der Erscheinungen und mit einem Worte dem, was man in weitester Bedeutung Schönheit nennt, zur Bezeichnung dient.

Durch diese Erklärung, wenn es eine wäre, wird die Schönheit weder auf das ganze Gebiet des Lebendigen ausgedehnt, noch bloß in dieses Gebiet eingeschlossen. Ein Marmorblock, obgleich er leblos ist und bleibt, kann darum nichtsdestoweniger lebende Gestalt durch den Architekt und Bildhauer werden; ein Mensch, wiewohl er lebt und Gestalt hat, ist darum noch lange keine lebende Gestalt. Dazu gehört, daß seine Gestalt Leben und sein Leben Gestalt sei. Solange wir über seine Gestalt bloß denken, ist sie leblos, bloße Abstraktion; solange wir sein Leben bloß fühlen, ist es gestaltlos, bloße Impression. Nur indem seine Form in unsrer Empfindung lebt und sein Leben in unserm Verstande sich formt, ist er lebende Gestalt, und dies wird überall der Fall sein, wo wir ihn als schön beurteilen.

Dadurch aber, daß wir die Bestandteile anzugeben wissen, die in ihrer Vereinigung die Schönheit hervorbringen, ist die Genesis derselben auf keine Weise noch erklärt; denn dazu würde erfordert, daß man jene Vereinigung selbst begriffe, die uns, wie überhaupt alle Wechselwirkung zwischen dem Endlichen und Unendlichen, unerforschlich bleibt. Die Vernunft stellt aus transcendentalen Gründen die Forderung auf: es soll eine Gemeinschaft zwischen Formtrieb und Stofftrieb, das heißt, ein Spieltrieb sein, weil nur die Einheit der Realität mit der Form, der Zufälligkeit mit der Notwendigkeit, des Leidens mit der Freiheit den Begriff der Menschheit vollendet. Sie muß diese Forderung aufstellen, weil sie Vernunft ist – weil sie ihrem Wesen nach auf Vollendung und auf Wegräumung aller Schranken dringt, jede ausschließende Tätigkeit des einen oder des andern Triebes aber die menschliche Natur unvollendet läßt und eine Schranke in derselben begründet. Sobald sie demnach den Ausspruch tut: es soll eine Menschheit existieren, so hat sie eben dadurch das Gesetz aufgestellt: es soll eine Schönheit sein. Die Erfahrung kann uns beantworten, ob eine Schönheit ist, und wir werden es wissen, sobald sie uns belehrt hat, ob eine Menschheit ist. Wie aber eine Schönheit sein kann, und wie eine Menschheit möglich ist, kann uns weder Vernunft noch Erfahrung lehren.

Der Mensch, wissen wir, ist weder ausschließend Materie, noch ist er ausschließend Geist. Die Schönheit, als Konsummation seiner Menschheit, kann also weder ausschließend bloßes Leben sein, wie von scharfsinnigen Beobachtern, die sich zu genau an die Zeugnisse der Erfahrung hielten, behauptet worden ist, und wozu der Geschmack der Zeit sie gern herabziehen möchte; noch kann sie ausschließend bloße Gestalt sein, wie von spekulativen Weltweisen, die sich zu weit von der Erfahrung entfernten, und von philosophierenden Künstlern, die sich in Erklärung derselben allzu sehr durch das Bedürfnis der Kunst leiten ließen, geurteilt worden ist*: sie ist das gemeinschaftliche Objekt beider Triebe,

* Zum bloßen Leben macht die Schönheit Burke in seinen „Philosophischen Untersuchungen über den Ursprung unsrer Begriffe vom Erhabenen und Schönen“. Zur bloßen Gestalt macht sie, soweit mir bekannt ist, jeder Anhänger des dogmatischen Systems, der über diesen Gegenstand je sein Bekenntnis ablegte: unter den Künstlern Raphael Mengs in seinen Gedanken über den Geschmack in der Malerei; andrer nicht zu gedenken. So wie in allem, hat auch in diesem Stück die kritische Philosophie den Weg eröffnet, die Empirie auf Prinzipien und die Spekulation zur Erfahrung zurückzuführen.

das heißt, des Spieltriebs. Diesen Namen rechtfertigt der Sprachgebrauch vollkommen, der alles das, was weder subjektiv noch objektiv zufällig ist und doch weder äußerlich noch innerlich nötigt, mit dem Wort Spiel zu bezeichnen pflegt. Da sich das Gemüt bei Anschauung des Schönen in einer glücklichen Mitte zwischen dem Gesetz und Bedürfnis befindet, so ist es eben darum, weil es sich zwischen beiden teilt, dem Zwange sowohl des einen als des andern entzogen. Dem Stofftrieb wie dem Formtrieb ist es mit ihren Forderungen ernst, weil der eine sich, beim Erkennen, auf die Wirklichkeit, der andre auf die Notwendigkeit der Dinge bezieht; weil, beim Handeln, der erste auf Erhaltung des Lebens, der zweite auf Bewahrung der Würde, beide also auf Wahrheit und Vollkommenheit gerichtet sind. Aber das Leben wird gleichgültiger, sowie die Würde sich einmischt, und die Pflicht nötigt nicht mehr, sobald die Neigung zieht; ebenso nimmt das Gemüt die Wirklichkeit der Dinge, die materiale Wahrheit, freier und ruhiger auf, sobald solche der formalen Wahrheit, dem Gesetz der Notwendigkeit, begegnet, und fühlt sich durch Abstraktion nicht mehr angespannt, sobald die unmittelbare Anschauung sie begleiten kann. Mit einem Wort: indem es mit Ideen in Gemeinschaft kommt, verliert alles Wirkliche seinen Ernst, weil es klein wird, und indem es mit der Empfindung zusammentrifft, legt das Notwendige den seinigen ab, weil es leicht wird.

Wird aber, möchten Sie längst schon versucht gewesen sein mir entgegenzusetzen, wird nicht das Schöne dadurch, daß man es zum bloßen Spiel macht, erniedrigt und den frivolen Gegenständen gleichgestellt, die von jeher im Besitz dieses Namens waren? Widerspricht es nicht dem Vernunftbegriff und der Würde der Schönheit, die doch als ein Instrument der Kultur betrachtet wird, sie auf ein bloßes Spiel einzuschränken, und widerspricht es nicht dem Erfahrungsbegriffe des Spiels, das mit Ausschließung alles Geschmackes zusammen bestehen kann, es bloß auf Schönheit einzuschränken?

Aber was heißt denn ein bloßes Spiel, nachdem wir wissen, daß unter allen Zuständen des Menschen gerade das Spiel und nur das Spiel es ist, was ihn vollständig macht und seine doppelte Natur auf einmal entfaltet? Was Sie, nach Ihrer Vorstellung der Sache, Einschränkung nennen, das nenne ich, nach der meinen, die ich durch Beweise gerechtfertigt habe, Erweiterung. Ich würde also vielmehr gerade umgekehrt sagen: mit dem Angenehmen, mit dem Guten, mit dem Vollkommenen ist es dem Menschen nur ernst; aber mit der Schönheit spielt er. Freilich dürfen wir uns hier nicht an die Spiele erinnern, die in dem wirklichen Leben im Gange sind und die sich gewöhnlich nur auf sehr materielle Gegenstände richten; aber in dem wirklichen Leben würden wir auch die Schönheit vergebens suchen, von der hier die Rede ist. Die wirklich vorhandene Schönheit ist des wirklich vorhandenen Spieltriebes wert; aber durch das Ideal der Schönheit, welches die Vernunft aufstellt, ist auch ein Ideal des Spieltriebes aufgegeben, das der Mensch in allen seinen Spielen vor Augen haben soll.

Man wird niemals irren, wenn man das Schönheitsideal eines Menschen auf dem nämlichen Wege sucht, auf dem er seinen Spieltrieb befriedigt. Wenn sich die griechischen Völkerschaften in den Kampfspielen zu Olympia an den unblutigen Wettkämpfen der Kraft, der Schnelligkeit, der Gelenkigkeit und an dem edleren Wechselstreit der Talente ergötzen, und wenn das römische Volk an dem Todeskampf eines erlegten Gladiators oder seines libyschen Gegners sich labt, so wird es uns aus diesem einzigen Zuge begreiflich, warum wir die Idealgestalten einer Venus, einer Juno, eines Apolls nicht in Rom, sondern in Griechenland aufsuchen müssen*. Nun spricht aber die Vernunft: das Schöne soll nicht bloßes Leben und nicht bloße Gestalt, sondern lebende Gestalt, d. i. Schönheit sein, indem sie ja dem Menschen das doppelte Gesetz der absoluten Formalität und der absoluten Realität diktiert. Mithin tut sie auch den Ausspruch: der Mensch soll mit der Schönheit nur spielen, und er soll nur mit der Schönheit spielen.

Denn, um es endlich auf einmal herauszusagen, der Mensch spielt nur, wo er in voller Bedeutung des Worts Mensch ist, und er ist nur da ganz Mensch, wo er spielt. Dieser Satz, der in diesem Augenblicke vielleicht paradox erscheint, wird eine große und tiefe Bedeutung erhalten, wenn wir erst dahin gekommen sein werden, ihn auf den doppelten Ernst der Pflicht und des Schicksals anzuwenden; er wird, ich verspreche es Ihnen, das ganze Gebäude der ästhetischen Kunst und der noch schwierigern Lebenskunst tragen. Aber dieser Satz ist auch nur in der Wissenschaft unerwartet; längst schon lebte und wirkte er in der Kunst und in dem Gefühle der Griechen, ihrer vornehmsten Meister; nur daß sie in den Olympus versetzten, was auf der Erde sollte ausgeführt werden. Von der Wahrheit desselben geleitet, ließen sie sowohl den Ernst und die Arbeit, welche die Wangen der Sterblichen furchen, als die nichtige Lust, die das leere Angesicht glättet, aus der Stirne der seligen Götter verschwinden, gaben die ewig Zufriedenen von den Fesseln jedes Zweckes, jeder Pflicht,

* Wenn man (um bei der neuern Welt stehen zu bleiben) die Wettrennen in London, die Stiergefechte in Madrid, die Spectacles in dem ehemaligen Paris, die Gondelrennen in Venedig, die Tierhatzen in Wien und das frohe schöne Leben des Corso in Rom gegen einander hält, so kann es nicht schwer sein, den Geschmack dieser verschiedenen Völker gegen einander zu nüancieren. Indessen zeigt sich unter den Volksspielen in diesen verschiedenen Ländern weit weniger Einförmigkeit als unter den Spielen der feineren Welt in eben diesen Ländern, welches leicht zu erklären ist.

jeder Sorge frei und machten den Müßiggang und die Gleichgültigkeit zum beneideten Lose des Götterstandes: ein bloß menschlicherer Name für das freieste und erhabenste Sein. Sowohl der materielle Zwang der Naturgesetze als der geistige Zwang der Sittengesetze verlor sich in ihrem höhern Begriff von Notwendigkeit, der beide Welten zugleich umfaßte, und aus der Einheit jener beiden Notwendigkeiten ging ihnen erst die wahre Freiheit hervor. Beseelt von diesem Geiste, löschten sie aus den Gesichtszügen ihres Ideals zugleich mit der Neigung auch alle Spuren des Willens aus, oder besser, sie machten beide unkenntlich, weil sie beide in dem innigsten Bund zu verknüpfen wußten. Es ist weder Anmut, noch ist es Würde, was aus dem herrlichen Antlitz einer Juno Ludovisi zu uns spricht; es ist keines von beiden, weil es beides zugleich ist. Indem der weibliche Gott unsre Anbetung heischt, entzündet das gottgleiche Weib unsre Liebe; aber indem wir uns der himmlischen Holdseligkeit aufgelöst hingeben, schreckt die himmlische Selbstgenügsamkeit uns zurück. In sich selbst ruhet und wohnt die ganze Gestalt, eine völlig geschlossene Schöpfung, und als wenn sie jenseits des Raumes wäre, ohne Nachgeben, ohne Widerstand; da ist keine Kraft, die mit Kräften kämpfte, keine Blöße, wo die Zeitlichkeit einbrechen könnte. Durch jenes unwiderstehlich ergriffen und angezogen, durch dieses in der Ferne gehalten, befinden wir uns zugleich in dem Zustand der höchsten Ruhe und der höchsten Bewegung, und es entsteht jene wunderbare Rührung, für welche der Verstand keinen Begriff und die Sprache keinen Namen hat.

Sechzehnter Brief.

Aus der Wechselwirkung zwei entgegengesetzter Triebe und aus der Verbindung zwei entgegengesetzter Prinzipien haben wir das Schöne hervorgehen sehen, dessen höchstes Ideal also in dem möglichstvollkommensten Bunde und Gleichgewicht der Realität und der Form wird zu suchen sein. Dieses Gleichgewicht bleibt aber immer nur Idee, die von der Wirklichkeit nie ganz erreicht werden kann. In der Wirklichkeit wird immer ein Übergewicht des einen Elements über das andere übrig bleiben, und das Höchste, was die Erfahrung leistet, wird in einer Schwankung zwischen beiden Prinzipien bestehen, wo bald die Realität, bald die Form überwiegend ist. Die Schönheit in der Idee ist also ewig nur eine unteilbare einzige, weil es nur ein einziges Gleichgewicht geben kann; die Schönheit in der Erfahrung hingegen wird ewig eine doppelte sein, weil bei einer Schwankung das Gleichgewicht auf eine doppelte Art, nämlich diesseits und jenseits, kann übertreten werden.

Ich habe in einem der vorhergehenden Briefe bemerkt, auch läßt es sich aus dem Zusammenhange des Bisherigen mit strenger Notwendigkeit folgern, daß von dem Schönen zugleich eine auflösende und eine anspannende Wirkung zu erwarten sei: eine auflösende, um sowohl den sinnlichen Trieb als den Formtrieb in ihren Grenzen zu halten; eine anspannende, um beide in ihrer Kraft zu erhalten. Diese beiden Wirkungsarten der Schönheit sollen aber, der Idee nach, schlechterdings nur eine einzige sein. Sie soll auflösen, dadurch daß sie beide Naturen gleichförmig anspannt, und soll anspannen, dadurch daß sie beide Naturen gleichförmig auflöst. Dieses folgt schon aus dem Begriff einer Wechselwirkung, vermöge dessen beide Teile einander zugleich notwendig bedingen und durch einander bedingt

werden, und deren reinstes Produkt die Schönheit ist.
Aber die Erfahrung bietet uns kein Beispiel einer sc
vollkommenen Wechselwirkung dar, sondern hier wird
jederzeit, mehr oder weniger, das Übergewicht einen
Mangel und der Mangel ein Übergewicht begründen
Was also in dem Ideal-Schönen nur in der Vorstellung unterschieden w i r d, das i s t in dem Schönen
der Erfahrung der Existenz nach verschieden. Das
Ideal-Schöne, obgleich unteilbar und einfach, zeigt in
verschiedener Beziehung sowohl eine schmelzende al
energische Eigenschaft; in der Erfahrung gibt es eine
schmelzende und energische Schönheit. So ist es, und sc
wird es in allen den Fällen sein, wo das Absolute in
die Schranken der Zeit gesetzt ist und Ideen der Vernunft in der Menschheit realisiert werden sollen. Sc
denkt der reflektierende Mensch sich die Tugend, die
Wahrheit, die Glückseligkeit; aber der handelnde
Mensch wird bloß Tugenden üben, bloß Wahrheiten
fassen, bloß glückselige Tage genießen. Diese auf jene
zurückzuführen – an die Stelle der Sitten die Sittlichkeit, an die Stelle der Kenntnisse die Erkenntnis, an die
Stelle des Glückes die Glückseligkeit zu setzen, ist das
Geschäft der physischen und moralischen Bildung; aus
Schönheiten Schönheit zu machen, ist die Aufgabe der
ästhetischen.

Die energische Schönheit kann den Menschen ebensc
wenig vor einem gewissen Überrest von Wildheit und
Härte bewahren, als ihn die schmelzende vor einem gewissen Grade der Weichlichkeit und Entnervung schützt
Denn da die Wirkung der erstern ist, das Gemüt sowohl im Physischen als Moralischen anzuspannen und
seine Schnellkraft zu vermehren, so geschieht es nur ga
zu leicht, daß der Widerstand des Temperaments und
Charakters die Empfänglichkeit für Eindrücke mindert
daß auch die zärtere Humanität eine Unterdrückung
erfährt, die nur die rohe Natur treffen sollte, und daß

die rohe Natur an einem Kraftgewinn teilnimmt, der nur der freien Person gelten sollte; daher findet man in den Zeitaltern der Kraft und der Fülle das wahrhaft Große der Vorstellung mit dem Gigantesken und Abenteuerlichen, und das Erhabene der Gesinnung mit den schauderhaftesten Ausbrüchen der Leidenschaft gepaart; daher wird man in den Zeitaltern der Regel und der Form die Natur ebenso oft unterdrückt als beherrscht, ebenso oft beleidigt als übertroffen finden. Und weil die Wirkung der schmelzenden Schönheit ist, das Gemüt im Moralischen wie im Physischen aufzulösen, so begegnet es ebenso leicht, daß mit der Gewalt der Begierden auch die Energie der Gefühle erstickt wird und daß auch der Charakter einen Kraftverlust teilt, der nur die Leidenschaft treffen sollte: daher wird man in den sogenannten verfeinerten Weltaltern Weichheit nicht selten in Weichlichkeit, Fläche in Flachheit, Korrektheit in Leerheit, Liberalität in Willkürlichkeit, Leichtigkeit in Frivolität, Ruhe in Apathie ausarten und die verächtlichste Karikatur zunächst an die herrlichste Menschlichkeit grenzen sehen. Für den Menschen unter dem Zwange entweder der Materie oder der Formen ist also die schmelzende Schönheit Bedürfnis; denn von Größe und Kraft ist er längst gerührt, ehe er für Harmonie und Grazie anfängt empfindlich zu werden. Für den Menschen unter der Indulgenz des Geschmacks ist die energische Schönheit Bedürfnis; denn nur allzugern verscherzt er im Stand der Verfeinerung eine Kraft, die er aus dem Stand der Wildheit herüberbrachte.

Und nunmehr, glaube ich, wird jener Widerspruch erklärt und beantwortet sein, den man in den Urteilen der Menschen über den Einfluß des Schönen und in Würdigung der ästhetischen Kultur anzutreffen pflegt. Er ist erklärt, dieser Widerspruch, sobald man sich erinnert, daß es in der Erfahrung eine zweifache Schönheit gibt und daß beide Teile von der ganzen Gattung behaupten, was jeder nur von einer besondern Art derselben zu beweisen im stande ist. Er ist gehoben, dieser Widerspruch, sobald man das doppelte Bedürfnis der Menschheit unterscheidet, dem jene doppelte Schönheit entspricht. Beide Teile werden also wahrscheinlich Recht behalten, wenn sie nur erst mit einander verständigt sind, welche Art der Schönheit und welche Form der Menschheit sie in Gedanken haben.

Ich werde daher im Fortgange meiner Untersuchungen den Weg, den die Natur in ästhetischer Hinsicht mit dem Menschen einschlägt, auch zu dem meinigen machen und mich von den Arten der Schönheit zu dem Gattungsbegriff derselben erheben. Ich werde die Wirkungen der schmelzenden Schönheit an dem angespannten Menschen und die Wirkungen der energischen an dem abgespannten prüfen, um zuletzt beide entgegengesetzte Arten der Schönheit in der Einheit des Ideal-Schönen auszulöschen, so wie jene zwei entgegengesetzten Formen der Menschheit in der Einheit des Ideal-Menschen untergehn.

Siebenzehnter Brief.

So lange es bloß darauf ankam, die allgemeine Idee der Schönheit aus dem Begriffe der menschlichen Natur überhaupt abzuleiten, durften wir uns an keine andere Schranken der letztern erinnern, als die unmittelbar in dem Wesen derselben gegründet und von dem Begriffe der Endlichkeit unzertrennlich sind. Unbekümmert um die zufälligen Einschränkungen, die sie in der wirklichen Erscheinung erleiden möchte, schöpften wir den Begriff derselben unmittelbar aus der Vernunft, als der Quelle aller Notwendigkeit, und mit dem Ideale der Menschheit war zugleich auch das Ideal der Schönheit gegeben.

Jetzt aber steigen wir aus der Region der Ideen auf

den Schauplatz der Wirklichkeit herab, um den Menschen in einem bestimmten Zustand, mithin unter Einschränkungen anzutreffen, die nicht ursprünglich aus seinem bloßen Begriff, sondern aus äußern Umständen und aus einem zufälligen Gebrauch seiner Freiheit fließen. Auf wie vielfache Weise aber auch die Idee der Menschheit in ihm eingeschränkt sein mag, so lehret uns schon der bloße Inhalt derselben, daß im ganzen nur zwei entgegengesetze Abweichungen von derselben statthaben können. Liegt nämlich seine Vollkommenheit in der übereinstimmenden Energie seiner sinnlichen und geistigen Kräfte, so kann er diese Vollkommenheit nur entweder durch einen Mangel an Übereinstimmung oder durch einen Mangel an Energie verfehlen. Ehe wir also noch die Zeugnisse der Erfahrung darüber abgehört haben, sind wir schon im voraus durch bloße Vernunft gewiß, daß wir den wirklichen, folglich beschränkten Menschen entweder in einem Zustande der Anspannung oder in einem Zustande der Abspannung finden werden, je nachdem entweder die einseitige Tätigkeit einzelner Kräfte die Harmonie seines Wesens stört oder die Einheit seiner Natur sich auf die gleichförmige Erschlaffung seiner sinnlichen und geistigen Kräfte gründet. Beide entgegengesetzte Schranken werden, wie nun bewiesen werden soll, durch die Schönheit gehoben, die in dem angespannten Menschen die Harmonie, in dem abgespannten die Energie wieder herstellt und auf diese Art, ihrer Natur gemäß, den eingeschränkten Zustand auf einen absoluten zurückführt und den Menschen zu einem in sich selbst vollendeten Ganzen macht.

Sie verleugnet also in der Wirklichkeit auf keine Weise den Begriff, den wir in der Spekulation von ihr faßten; nur daß sie hier ungleich weniger freie Hand hat als dort, wo wir sie auf den reinen Begriff der Menschheit anwenden durften. An dem Menschen, wie die Erfahrung ihn aufstellt, findet sie einen schon verdorbenen und widerstrebenden Stoff, der ihr gerade so viel von ihrer idealen Vollkommenheit raubt, als er von seiner individualen Beschaffenheit einmischt. Sie wird daher in der Wirklichkeit überall nur als eine besondere und eingeschränkte Spezies, nie als reine Gattung sich zeigen; sie wird in angespannten Gemütern von ihrer Freiheit und Mannigfaltigkeit, sie wird in abgespannten von ihrer belebenden Kraft ablegen; uns aber, die wir nunmehr mit ihrem wahren Charakter vertrauter geworden sind, wird diese widersprechende Erscheinung nicht irre machen. Weit entfernt, mit dem großen Haufen der Beurteiler aus einzelnen Erfahrungen ihren Begriff zu bestimmen und sie für die Mängel verantwortlich zu machen, die der Mensch unter ihrem Einflusse zeigt, wissen wir vielmehr, daß es der Mensch ist, der die Unvollkommenheiten seines Individuums auf sie überträgt, der durch seine subjektive Begrenzung ihrer Vollendung unaufhörlich im Wege steht und ihr absolutes Ideal auf zwei eingeschränkte Formen der Erscheinung herabsetzt.

Die schmelzende Schönheit, wurde behauptet, sei für ein angespanntes Gemüt, und für ein abgespanntes die energische. Angespannt aber nenne ich den Menschen sowohl, wenn er sich unter dem Zwange von Empfindungen, als wenn er sich unter dem Zwange von Begriffen befindet. Jede ausschließende Herrschaft eines seiner beiden Grundtriebe ist für ihn ein Zustand des Zwanges und der Gewalt; und Freiheit liegt nur in der Zusammenwirkung seiner beiden Naturen. Der von Gefühlen einseitig beherrschte oder sinnlich angespannte Mensch wird also aufgelöst und in Freiheit gesetzt durch Form; der von Gesetzen einseitig beherrschte oder geistig angespannte Mensch wird aufgelöst und in Freiheit gesetzt durch Materie. Die schmelzende Schönheit, um dieser doppelten Aufgabe ein Genüge zu tun, wird sich also unter zwei verschiednen Gestalten zeigen. Sie wird erstlich als ruhige Form das wilde Leben besänftigen und von Empfindungen zu Gedanken den Übergang bahnen; sie wird zweitens als lebendes Bild die abgezogene Form mit sinnlicher Kraft ausrüsten, den Begriff zur Anschauung und das Gesetz zum Gefühl zurückführen. Den ersten Dienst leistet sie dem Naturmenschen, den zweiten dem künstlichen Menschen. Aber weil sie in beiden Fällen über ihren Stoff nicht ganz frei gebietet, sondern von demjenigen abhängt, den ihr entweder die formlose Natur oder die naturwidrige Kunst darbietet, so wird sie in beiden Fällen noch Spuren ihres Ursprunges tragen und dort mehr in das materielle Leben, hier mehr in die bloße abgezogene Form sich verlieren.

Um uns einen Begriff davon machen zu können, wie die Schönheit ein Mittel werden kann, jene doppelte Anspannung zu heben, müssen wir den Ursprung derselben in dem menschlichen Gemüt zu erforschen suchen. Entschließen Sie sich also noch zu einem kurzen Aufenthalt im Gebiete der Spekulation, um es alsdann auf immer zu verlassen und mit desto sichererm Schritt auf dem Feld der Erfahrung fortzuschreiten.

Achtzehnter Brief.

Durch die Schönheit wird der sinnliche Mensch zur Form und zum Denken geleitet; durch die Schönheit wird der geistige Mensch zur Materie zurückgeführt und der Sinnenwelt wiedergegeben.

Aus diesem scheint zu folgen, daß es zwischen Materie und Form, zwischen Leiden und Tätigkeit einen mittleren Zustand geben müsse, und daß uns die Schönheit in diesen mittleren Zustand versetze. Diesen Begriff bildet sich auch wirklich der größte Teil der Menschen von der Schönheit, sobald er angefangen hat, über ihre Wirkungen zu reflektieren, und alle Erfahrungen weisen darauf hin. Auf der andern Seite aber ist nichts ungereimter und widersprechender als ein solcher Begriff, da der Abstand zwischen Materie und Form, zwischen Leiden und Tätigkeit, zwischen Empfinden und Denken unendlich ist und schlechterdings durch nichts kann vermittelt werden. Wie heben wir nun diesen Widerspruch? Die Schönheit verknüpft die zwei entgegengesetzten Zustände des Empfindens und des Denkens, und doch gibt es schlechterdings kein Mittleres zwischen beiden. Jenes ist durch Erfahrung, dieses ist unmittelbar durch Vernunft gewiß.

Dies ist der eigentliche Punkt, auf den zuletzt die ganze Frage über die Schönheit hinausläuft, und gelingt es uns, dieses Problem befriedigend aufzulösen, so haben wir zugleich den Faden gefunden, der uns durch das ganze Labyrinth der Ästhetik führt.

Es kommt aber hiebei auf zwei höchst verschiedene Operationen an, welche bei dieser Untersuchung einander notwendig unterstützen müssen. Die Schönheit, heißt es, verknüpft zwei Zustände mit einander, die einander entgegengesetzt sind und niemals Eins werden können. Von dieser Entgegensetzung müssen wir ausgehen; wir müssen sie in ihrer ganzen Reinheit und Strengigkeit auffassen und anerkennen, so daß beide Zustände sich auf das bestimmteste scheiden; sonst vermischen wir, aber vereinigen nicht. Zweitens heißt es: jene zwei entgegengesetzten Zustände verbindet die Schönheit und hebt also die Entgegensetzung auf. Weil aber beide Zustände einander ewig entgegengesetzt bleiben, so sind sie nicht anders zu verbinden, als indem sie aufgehoben werden. Unser zweites Geschäft ist also, diese Verbindung vollkommen zu machen, sie so rein und vollständig durchzuführen, daß beide Zustände in einem Dritten gänzlich verschwinden und keine Spur der Teilung in dem Ganzen zurückbleibt; sonst vereinzeln wir, aber vereinigen nicht. Alle Streitigkeiten, welche jemals in der philosophischen Welt über den Begriff der Schönheit geherrscht haben und zum Teil noch heutzutag herrschen, haben keinen andern Ursprung, als daß man die Untersuchung entweder nicht von einer gehörig strengen Unterscheidung anfing oder sie nicht bis zu einer völlig reinen Vereinigung durchführte. Diejenigen unter den Philosophen, welche sich bei der Reflexion über diesen Gegenstand der Leitung ihres Gefühls blindlings anvertrauen, können von der Schönheit keinen Begriff erlangen, weil sie in dem Total des sinnlichen Eindrucks nichts Einzelnes unterscheiden. Die andern, welche den Verstand ausschließend zum Führer nehmen, können nie einen Begriff von der Schönheit erlangen, weil sie in dem Total derselben nie etwas anders als die Teile sehen und Geist und Materie auch in ihrer vollkommensten Einheit ihnen ewig geschieden bleiben. Die ersten fürchten, die Schönheit dynamisch, d. h. als wirkende Kraft aufzuheben, wenn sie trennen sollen, was im Gefühl doch verbunden ist; die andern fürchten, die Schönheit logisch, d. h. als Begriff aufzuheben, wenn sie zusammenfassen sollen, was im Verstand doch geschieden ist. Jene wollen die Schönheit auch ebenso denken, wie sie wirkt; diese wollen sie ebenso wirken lassen, wie sie gedacht wird. Beide müssen also die Wahrheit verfehlen: jene, weil sie es mit ihrem eingeschränkten Denkvermögen der unendlichen Natur nachtun; diese, weil sie die unendliche Natur nach ihren Denkgesetzen einschränken wollen. Die ersten fürchten, durch eine zu strenge Zergliederung der Schönheit von ihrer Freiheit zu rauben; die andern fürchten, durch eine zu kühne Vereinigung die Bestimmtheit ihres Begriffs zu zerstören. Jene bedenken aber nicht, daß die Freiheit, in welche sie mit allem Recht das Wesen der Schönheit setzen, nicht Gesetzlosigkeit, sondern Harmonie von Gesetzen, nicht

Willkürlichkeit, sondern höchste innere Notwendigkeit ist; diese bedenken nicht, daß die Bestimmtheit, welche sie mit gleichem Recht von der Schönheit fordern, nicht in der Ausschließung gewisser Realitäten, sondern in der absoluten Einschließung aller besteht, daß sie also nicht Begrenzung, sondern Unendlichkeit ist. Wir werden die Klippen vermeiden, an welchen beide gescheitert sind, wenn wir von den zwei Elementen beginnen, in welche die Schönheit sich vor dem Verstande teilt, aber uns alsdann auch zu der reinen ästhetischen Einheit erheben, durch die sie auf die Empfindung wirkt und in welcher jene beiden Zustände gänzlich verschwinden*.

* Einem aufmerksamen Leser wird sich bei der hier angestellten Vergleichung die Bemerkung dargeboten haben, daß die sensualen Ästhetiker, welche das Zeugnis der Empfindung mehr als das Raisonnement gelten lassen, sich der Tat nach weit weniger von der Wahrheit entfernen als ihre Gegner, obgleich sie der Einsicht nach es nicht mit diesen aufnehmen können; und dieses Verhältnis findet man überall zwischen der Natur und der Wissenschaft. Die Natur (der Sinn) vereinigt überall, der Verstand scheidet überall, aber die Vernunft vereinigt wieder; daher ist der Mensch, ehe er anfängt zu philosophieren, der Wahrheit näher als der Philosoph, der seine Untersuchung noch nicht geendigt hat. Man kann deswegen ohne alle weitere Prüfung ein Philosophem für irrig erklären, sobald dasselbe, dem Resultat nach, die gemeine Empfindung gegen sich hat; mit demselben Rechte aber kann man es für verdächtig halten, wenn es, der Form und Methode nach, die gemeine Empfindung auf seiner Seite hat. Mit dem letztern mag sich ein jeder Schriftsteller trösten, der eine philosophische Deduktion nicht, wie manche Leser zu erwarten scheinen, wie eine Unterhaltung am Kaminfeuer vortragen kann. Mit dem erstern mag man jeden zum Stillschweigen bringen, der auf Kosten des Menschenverstandes neue Systeme gründen will.

Neunzehnter Brief.

Es lassen sich in dem Menschen überhaupt zwei verschiedene Zustände der passiven und aktiven Bestimmbarkeit und ebenso viele Zustände der passiven und aktiven Bestimmung unterscheiden. Die Erklärung dieses Satzes führt uns am kürzesten zum Ziel.

Der Zustand des menschlichen Geistes *vor* aller Bestimmung, die ihm durch Eindrücke der Sinne gegeben wird, ist eine Bestimmbarkeit ohne Grenzen. Das Endlose des Raumes und der Zeit ist seiner Einbildungskraft zu freiem Gebrauch hingegeben, und weil, der Voraussetzung nach, in diesem weiten Reiche des Möglichen nichts gesetzt, folglich auch noch nichts ausgeschlossen ist, so kann man diesen Zustand der Bestimmungslosigkeit eine *leere Unendlichkeit* nennen, welches mit einer unendlichen Leere keineswegs zu verwechseln ist.

Jetzt soll sein Sinn gerührt werden, und aus der unendlichen Menge möglicher Bestimmungen soll eine einzelne Wirklichkeit erhalten. Eine Vorstellung soll in ihm entstehen. Was in dem vorhergegangenen Zustand der bloßen Bestimmbarkeit nichts als ein leeres Vermögen war, das wird jetzt zu einer wirkenden Kraft, das bekommt einen Inhalt; zugleich aber erhält es, als wirkende Kraft, eine Grenze, da es, als bloßes Vermögen, unbegrenzt war. Realität ist also da, aber die Unendlichkeit ist verloren. Um eine Gestalt im Raum zu beschreiben, müssen wir den endlosen Raum *begrenzen*; um uns eine Veränderung in der Zeit vorzustellen, müssen wir das Zeitganze *teilen*. Wir gelangen also nur durch Schranken zur Realität, nur durch *Negation* oder Ausschließung zur *Position* oder wirklichen Setzung, nur durch Aufhebung unsrer freien Bestimmbarkeit zur Bestimmung.

Aber aus einer bloßen Ausschließung würde in Ewigkeit keine Realität und aus einer bloßen Sinnenempfindung in Ewigkeit keine Vorstellung werden, wenn nicht etwas vorhanden wäre, von welchem ausgeschlossen wird, wenn nicht durch eine absolute Tathandlung des Geistes die Negation auf etwas Positives bezogen und aus Nichtsetzung Entgegensetzung würde; diese Handlung des Gemüts heißt urteilen oder denken, und das Resultat derselben der Gedanke.

Ehe wir im Raum einen Ort bestimmen, gibt es überhaupt keinen Raum für uns; aber ohne den absoluten Raum würden wir nimmermehr einen Ort bestimmen. Ebenso mit der Zeit. Ehe wir den Augenblick haben, gibt es überhaupt keine Zeit für uns; aber ohne die ewige Zeit würden wir nie eine Vorstellung des Augenblicks haben. Wir gelangen also freilich nur durch den Teil zum Ganzen, nur durch die Grenze zum Unbegrenzten; aber wir gelangen auch nur durch das Ganze zum Teil, nur durch das Unbegrenzte zur Grenze.

Wenn nun also von dem Schönen behauptet wird, daß es dem Menschen einen Übergang vom Empfinden zum Denken bahne, so ist dies keineswegs so zu verstehen, als ob durch das Schöne die Kluft könnte ausgefüllt werden, die das Empfinden vom Denken, die das Leiden von der Tätigkeit trennt; diese Kluft ist unendlich, und ohne Dazwischenkunft eines neuen und selbständigen Vermögens kann aus dem Einzelnen in Ewigkeit nichts Allgemeines, kann aus dem Zufälligen nichts Notwendiges werden. Der Gedanke ist die unmittelbare Handlung dieses absoluten Vermögens, welches zwar durch die Sinne veranlaßt werden muß, sich zu äußern, in seiner Äußerung selbst aber so wenig von der Sinnlichkeit abhängt, daß es sich vielmehr nur durch Entgegensetzung gegen dieselbe verkündiget. Die Selbständigkeit, mit der es handelt, schließt jede fremde Einwirkung aus; und nicht insofern sie beim Denken hilft (welches einen offenbaren Widerspruch enthält), bloß insofern sie den Denkkräften Freiheit verschafft, ihren eigenen Gesetzen gemäß sich zu äußern, kann die Schönheit ein Mittel werden, den Menschen von der Materie zur Form, von Empfindungen zu Gesetzen, von einem beschränkten zu einem absoluten Dasein zu führen.

Dies aber setzt voraus, daß die Freiheit der Denkkräfte gehemmt werden könne, welches mit dem Begriff eines selbständigen Vermögens zu streiten scheint. Ein Vermögen nämlich, welches von außen nichts als den Stoff seines Wirkens empfängt, kann nur durch Entziehung des Stoffes, also nur negativ an seinem Wirken gehindert werden, und es heißt die Natur eines Geistes verkennen, wenn man den sinnlichen Passionen eine Macht beilegt, die Freiheit des Gemüts positiv unterdrücken zu können. Zwar stellt die Erfahrung Beispiele in Menge auf, wo die Vernunftkräfte in demselben Maß unterdrückt erscheinen, als die sinnlichen Kräfte feuriger wirken; aber anstatt jene Geistesschwäche von der Stärke des Affekts abzuleiten, muß man vielmehr diese überwiegende Stärke des Affekts durch jene Schwäche des Geistes erklären; denn die Sinne können nicht anders eine Macht gegen den Menschen vorstellen, als insofern der Geist frei unterlassen hat, sich als eine solche zu beweisen.

Indem ich aber durch diese Erklärung einem Einwurfe zu begegnen suche, habe ich mich, wie es scheint, in einen andern verwickelt und die Selbständigkeit des Gemüts nur auf Kosten seiner Einheit gerettet. Denn wie kann das Gemüt aus sich selbst zugleich Gründe der Nichttätigkeit und der Tätigkeit nehmen, wenn es nicht selbst geteilt, wenn es nicht sich selbst entgegengesetzt ist?

Hier müssen wir uns nun erinnern, daß wir den endlichen, nicht den unendlichen Geist vor uns haben. Der endliche Geist ist derjenige, der nicht anders als durch

Leiden tätig wird, nur durch Schranken zum Absoluten gelangt, nur, insofern er Stoff empfängt, handelt und bildet. Ein solcher Geist wird also mit dem Triebe nach Form oder nach dem Absoluten einen Trieb nach Stoff oder nach Schranken verbinden, als welche die Bedingungen sind, ohne welche er den ersten Trieb weder haben noch befriedigen könnte. Inwiefern in demselben Wesen zwei so entgegengesetzte Tendenzen zusammen bestehen können, ist eine Aufgabe, die zwar den Metaphysiker, aber nicht den Transzendentalphilosophen in Verlegenheit setzen kann. Dieser gibt sich keineswegs dafür aus, die Möglichkeit der Dinge zu erklären, sondern begnügt sich, die Kenntnisse festzusetzen, aus welchen die Möglichkeit der Erfahrung begriffen wird. Und da nun Erfahrung ebenso wenig ohne jene Entgegensetzung im Gemüte als ohne die absolute Einheit desselben möglich wäre, so stellt er beide Begriffe mit vollkommner Befugnis als gleich notwendige Bedingungen der Erfahrung auf, ohne sich weiter um ihre Vereinbarkeit zu bekümmern. Diese Inwohnung zweier Grundtriebe widerspricht übrigens auf keine Weise der absoluten Einheit des Geistes, sobald man nur von beiden Trieben ihn selbst unterscheidet. Beide Triebe existieren und wirken zwar in ihm, aber er selbst ist weder Materie noch Form, weder Sinnlichkeit noch Vernunft, welches diejenigen, die den menschlichen Geist nur da selbst handeln lassen, wo sein Verfahren mit der Vernunft übereinstimmt, und wo dieses der Vernunft widerspricht, ihn bloß für passiv erklären, nicht immer bedacht zu haben scheinen.

Jeder dieser beiden Grundtriebe strebt, sobald er zur Entwicklung gekommen, seiner Natur nach und notwendig nach Befriedigung; aber eben darum, weil beide notwendig und beide doch nach entgegengesetzten Objekten streben, so hebt diese doppelte Nötigung sich gegenseitig auf, und der Wille behauptet eine vollkommene Freiheit zwischen beiden. Der Wille ist es also, der sich gegen beide Triebe als eine Macht (als Grund der Wirklichkeit) verhält, aber keiner von beiden kann sich für sich selbst als eine Macht gegen den andern verhalten. Durch den positivsten Antrieb zur Gerechtigkeit, woran es ihm keineswegs mangelt, wird der Gewalttätige nicht von Unrecht abgehalten, und durch die lebhafteste Versuchung zum Genuß der Starkmütige nicht zum Bruch seiner Grundsätze gebracht. Es gibt in dem Menschen keine andere Macht als seinen Willen, und nur was den Menschen aufhebt, der Tod und jeder Raub des Bewußtseins, kann die innere Freiheit aufheben.

Eine Notwendigkeit außer uns bestimmt unsern Zustand, unser Dasein in der Zeit vermittelst der Sinnenempfindung. Diese ist ganz unwillkürlich, und so, wie auf uns gewirkt wird, müssen wir leiden. Ebenso eröffnet eine Notwendigkeit in uns unsre Persönlichkeit, auf Veranlassung jener Sinnenempfindung und durch Entgegensetzung gegen dieselbe; denn das Selbstbewußtsein kann von dem Willen, der es voraussetzt, nicht abhangen. Diese ursprüngliche Verkündigung der Persönlichkeit ist nicht unser Verdienst, und der Mangel derselben nicht unser Fehler. Nur von demjenigen, der sich bewußt ist, wird Vernunft, das heißt absolute Konsequenz und Universalität des Bewußtseins gefordert; vorher ist er nicht Mensch, und kein Akt der Menschheit kann von ihm erwartet werden. So wenig nun der Metaphysiker sich die Schranken erklären kann, die der freie und selbständige Geist durch die Empfindung erleidet, so wenig begreift der Physiker die Unendlichkeit, die sich auf Veranlassung dieser Schranken in der Persönlichkeit offenbart. Weder Abstraktion noch Erfahrung leiten uns bis zu der Quelle zurück, aus der unsre Begriffe von Allgemeinheit und Notwendigkeit fließen; ihre frühe Erscheinung in der Zeit entzieht sie dem Beobachter und ihr übersinnlicher Ursprung dem metaphysischen Forscher. Aber genug, das Selbstbewußtsein ist da, und zugleich mit der unveränderlichen Einheit desselben ist das Gesetz der Einheit für alles, was *für* den Menschen ist, und für alles, was *durch* ihn werden soll, für sein Erkennen und Handeln aufgestellt. Unentfliehbar, unverfälschbar, unbegreiflich stellen die Begriffe von Wahrheit und Recht schon im Alter der Sinnlichkeit sich dar, und ohne daß man zu sagen wüßte, woher und wie es entstand, bemerkt man das Ewige in der Zeit und das Notwendige im Gefolge des Zufalls. So entspringen Empfindung und Selbstbewußtsein, völlig ohne Zutun des Subjekts, und beider Ursprung liegt ebensowohl jenseits unseres Willens, als er jenseits unseres Erkenntniskreises liegt.

Sind aber beide wirklich, und hat der Mensch, vermittelst der Empfindung, die Erfahrung einer bestimmten Existenz, hat er durch das Selbstbewußtsein die Erfahrung seiner absoluten Existenz gemacht, so werden mit ihren Gegenständen auch seine beiden Grundtriebe rege. Der sinnliche Trieb erwacht mit der Erfahrung des Lebens (mit dem Anfang des Individuums), der vernünftige mit der Erfahrung des Gesetzes (mit dem Anfang der Persönlichkeit), und jetzt erst, nachdem beide zum Dasein gekommen, ist seine Menschheit aufgebaut. Bis dies geschehen ist, erfolgt alles in ihm nach dem Gesetz der Notwendigkeit; jetzt aber verläßt ihn die Hand der *Natur*, und es ist *seine* Sache, die Menschheit zu behaupten, welche jene in ihm anlegte und eröffnete. Sobald nämlich zwei entgegengesetzte Grundtriebe in ihm tätig sind, so verlieren beide ihre Nötigung, und die Entgegensetzung zweier Notwendigkeiten gibt der *Freiheit* den Ursprung*.

* Um aller Mißdeutung vorzubeugen, bemerke ich, daß, so oft hier von Freiheit die Rede ist, nicht diejenige gemeint ist, die dem

Zwanzigster Brief.

Daß auf die Freiheit nicht gewirkt werden könne, ergibt sich schon aus ihrem bloßen Begriff; daß aber die Freiheit selbst eine Wirkung der *Natur* (dieses Wort in seinem weitesten Sinne genommen), kein Werk des Menschen sei, daß sie also auch durch natürliche Mittel befördert und gehemmt werden könne, folgt gleich notwendig aus dem vorigen. Sie nimmt ihren Anfang erst, wenn der Mensch *vollständig* ist und seine *beiden* Grundtriebe sich entwickelt haben; sie muß also fehlen, so lang' er unvollständig und einer von beiden Trieben ausgeschlossen ist, und muß durch alles das, was ihm seine Vollständigkeit zurückgibt, wieder hergestellt werden können.

Nun läßt sich wirklich, sowohl in der ganzen Gattung als in dem einzelnen Menschen, ein Moment aufzeigen, in welchem der Mensch noch nicht vollständig und einer von beiden Trieben ausschließend in ihm tätig ist. Wir wissen, daß er anfängt mit bloßem Leben, um zu endigen mit Form, daß er früher Individuum als Person ist, daß er von den Schranken aus zur Unendlichkeit geht. Der sinnliche Trieb kommt also früher als der vernünftige zur Wirkung, weil die Empfindung dem Bewußtsein vorhergeht, und in dieser *Priorität* des sinnlichen Triebes finden wir den Aufschluß zu der ganzen Geschichte der menschlichen Freiheit.

Menschen, als Intelligenz betrachtet, notwendig zukommt und ihm weder gegeben noch genommen werden kann, sondern diejenige, welche sich auf seine gemischte Natur gründet. Dadurch, daß der Mensch überhaupt nur vernünftig handelt, beweist er eine Freiheit der ersten Art; dadurch daß er in den Schranken des Stoffes vernünftig und unter Gesetzen der Vernunft materiell handelt, beweist er eine Freiheit der zweiten Art. Man könnte die letztere schlechtweg durch eine natürliche Möglichkeit der erstern erklären.

Denn es gibt nun einen Moment, wo der Lebenstrieb, weil ihm der Formtrieb noch nicht entgegenwirkt, als Natur und als Notwendigkeit handelt; wo die Sinnlichkeit eine Macht ist, weil der Mensch noch nicht angefangen; denn in dem Menschen selbst kann es keine andere Macht als den Willen geben. Aber im Zustand des Denkens, zu welchem der Mensch jetzt übergehen soll, soll gerade umgekehrt die Vernunft eine Macht sein, und eine logische oder moralische Notwendigkeit soll an die Stelle jener physischen treten. Jene Macht der Empfindung muß also vernichtet werden, ehe das Gesetz dazu erhoben werden kann. Es ist also nicht damit getan, daß etwas anfange, was noch nicht war; es muß zuvor etwas aufhören, welches war. Der Mensch kann nicht unmittelbar vom Empfinden zum Denken übergehen; er muß einen Schritt zurücktun, weil nur, indem eine Determination wieder aufgehoben wird, die entgegengesetzte eintreten kann. Er muß also, um Leiden mit Selbsttätigkeit, um eine passive Bestimmung mit einer aktiven zu vertauschen, augenblicklich von aller Bestimmung frei sein und einen Zustand der bloßen Bestimmbarkeit durchlaufen. Mithin muß er auf gewisse Weise zu jenem negativen Zustand der bloßen Bestimmungslosigkeit zurückkehren, in welchem er sich befand, ehe noch irgend etwas auf seinen Sinn einen Eindruck machte. Jener Zustand aber war an Inhalt völlig leer, und jetzt kommt es darauf an, eine gleiche Bestimmungslosigkeit und eine gleich unbegrenzte Bestimmbarkeit mit dem größtmöglichen Gehalt zu vereinbaren, weil unmittelbar aus diesem Zustand etwas Positives erfolgen soll. Die Bestimmung, die er durch Sensation empfangen, muß also festgehalten werden, weil er die Realität nicht verlieren darf; zugleich aber muß sie, insofern sie Begrenzung ist, aufgehoben werden, weil eine unbegrenzte Bestimmbarkeit stattfinden soll. Die Aufgabe ist also, die Determination des Zustandes zugleich zu vernichten und beizubehalten, welches nur auf die einzige Art möglich ist, daß man ihr eine andere entgegensetzt. Die Schalen einer Wage stehen gleich, wenn sie leer sind; sie stehen aber auch gleich, wenn sie gleiche Gewichte enthalten.

Das Gemüt geht also von der Empfindung zum Gedanken durch eine mittlere Stimmung über, in welcher Sinnlichkeit und Vernunft *zugleich* tätig sind, eben deswegen aber ihre bestimmende Gewalt gegenseitig aufheben und durch eine Entgegensetzung eine Negation bewirken. Diese mittlere Stimmung, in welcher das Gemüt weder physisch noch moralisch genötigt und doch auf beide Art tätig ist, verdient vorzugsweise eine freie Stimmung zu heißen, und wenn man den Zustand sinnlicher Bestimmung den physischen, den Zustand vernünftiger Bestimmung aber den logischen und moralischen nennt, so muß man diesen Zustand der realen und aktiven Bestimmbarkeit den *ästhetischen* heißen*.

* Für Leser, denen die reine Bedeutung dieses durch Unwissenheit so sehr gemißbrauchten Wortes nicht ganz geläufig ist, mag folgendes zur Erklärung dienen. Alle Dinge, die irgend in der Erscheinung vorkommen können, lassen sich unter vier verschiedenen Beziehungen denken. Eine Sache kann sich unmittelbar auf unsern sinnlichen Zustand (unser Dasein und Wohlsein) beziehen: das ist ihre *physische* Beschaffenheit. Oder sie kann sich auf den Verstand beziehen und uns eine Erkenntnis verschaffen: das ist ihre *logische* Beschaffenheit. Oder sie kann sich auf unsern Willen beziehen und als ein Gegenstand der Wahl für ein vernünftiges Wesen betrachtet werden: das ist ihre *moralische* Beschaffenheit. Oder endlich, sie kann sich auf das Ganze unsrer verschiedenen Kräfte beziehen, ohne für eine einzelne derselben ein bestimmtes Objekt zu sein: das ist ihre *ästhetische* Beschaffenheit. Ein Mensch kann uns durch seine Dienstfertigkeit angenehm sein; er kann uns durch seine Unterhaltung zu denken geben; er kann uns durch seinen Charakter Achtung einflößen; endlich kann er uns aber auch, unabhängig von diesem allen, und ohne daß wir

Einundzwanzigster Brief.

Es gibt, wie ich am Anfange des vorigen Briefs bemerkte, einen doppelten Zustand der Bestimmbarkeit und einen doppelten Zustand der Bestimmung. Jetzt kann ich diesen Satz deutlich machen.

Das Gemüt ist bestimmbar, bloß insofern es überhaupt nicht bestimmt ist; es ist aber auch bestimmbar, insofern es nicht ausschließend bestimmt, d. h. bei seiner Bestimmung nicht beschränkt ist. Jenes ist bloße Bestimmungslosigkeit (es ist ohne Schranken, weil es ohne Realität ist); dieses ist die ästhetische Bestimmbarkeit (es hat keine Schranken, weil es alle Realität vereinigt).

Das Gemüt ist bestimmt, insofern es überhaupt nur beschränkt ist; es ist aber auch bestimmt, insofern es

bei seiner Beurteilung weder auf irgend ein Gesetz, noch auf irgend einen Zweck Rücksicht nehmen, in der bloßen Betrachtung und durch seine bloße Erscheinungsart gefallen. In dieser letztern Qualität beurteilen wir ihn ästhetisch. So gibt es eine Erziehung zur Gesundheit, eine Erziehung zur Einsicht, eine Erziehung zur Sittlichkeit, eine Erziehung zum Geschmack und zur Schönheit. Diese letztere hat zur Absicht, das Ganze unsrer sinnlichen und geistigen Kräfte in möglichster Harmonie auszubilden. Weil man indessen, von einem falschen Geschmack verführt und durch ein falsches Raisonnement noch mehr in diesem Irrtum befestigt, den Begriff des Willkürlichen in den Begriff des Ästhetischen gerne mit aufnimmt, so merke ich hier zum Überfluß noch an (obgleich diese Briefe über ästhetische Erziehung fast mit nichts anderm umgehen, als jenen Irrtum zu widerlegen), daß das Gemüt im ästhetischen Zustande zwar frei und im höchsten Grade frei von allem Zwang, aber keineswegs frei von Gesetzen handelt und daß diese ästhetische Freiheit sich von der logischen Notwendigkeit beim Denken und von der moralischen Notwendigkeit beim Wollen nur dadurch unterscheidet, daß die Gesetze, nach denen das Gemüt dabei verfährt, nicht vorgestellt werden und, weil sie keinen Widerstand finden, nicht als Nötigung erscheinen.

sich selbst aus eigenem absoluten Vermögen beschränkt. In dem ersten Falle befindet es sich, wenn es empfindet; in dem zweiten, wenn es denkt. Was also das Denken in Rücksicht auf Bestimmung ist, das ist die ästhetische Verfassung in Rücksicht auf Bestimmbarkeit; jenes ist Beschränkung aus innrer unendlicher Kraft, diese ist eine Negation aus innrer unendlicher Fülle. So wie Empfinden und Denken einander in dem einzigen Punkt berühren, daß in beiden Zuständen das Gemüt determiniert, daß der Mensch ausschließungsweise etwas – entweder Individuum oder Person – ist, sonst aber sich ins Unendliche von einander entfernen: gerade so trifft die ästhetische Bestimmbarkeit mit der bloßen Bestimmungslosigkeit in dem einzigen Punkt überein, daß beide jedes bestimmte Dasein ausschließen, indem sie in allen übrigen Punkten wie nichts und alles, mithin unendlich verschieden sind. Wenn also die letztere, die Bestimmungslosigkeit aus Mangel, als eine *leere Unendlichkeit* vorgestellt wurde, so muß die ästhetische Bestimmungsfreiheit, welche das reale Gegenstück derselben ist, als eine *erfüllte Unendlichkeit* betrachtet werden; eine Vorstellung, welche mit demjenigen, was die vorhergehenden Untersuchungen lehren, aufs genaueste zusammentrifft.

In dem ästhetischen Zustande ist der Mensch also *Null*, insofern man auf ein einzelnes Resultat, nicht auf das ganze Vermögen achtet und den Mangel jeder besondern Determination in ihm in Betrachtung zieht. Daher muß man denjenigen vollkommen Recht geben, welche das Schöne und die Stimmung, in die es unser Gemüt versetzt, in Rücksicht auf *Erkenntnis* und *Gesinnung* für völlig indifferent und unfruchtbar erklären. Sie haben vollkommen Recht, denn die Schönheit gibt schlechterdings kein einzelnes Resultat weder für den Verstand noch für den Willen, sie führt keinen einzelnen, weder intellektuellen noch moralischen Zweck aus, sie findet keine einzige Wahrheit, hilft uns keine einzige Pflicht erfüllen und ist, mit einem Worte, gleich ungeschickt, den Charakter zu gründen und den Kopf aufzuklären. Durch die ästhetische Kultur bleibt also der persönliche Wert eines Menschen oder seine Würde, insofern diese nur von ihm selbst abhängen kann, noch völlig unbestimmt, und es ist weiter nichts erreicht, als daß es ihm nunmehr von Natur wegen möglich gemacht ist, aus sich selbst zu machen, was er will – daß ihm die Freiheit, zu sein, was er sein soll, vollkommen zurückgegeben ist.

Eben dadurch aber ist etwas Unendliches erreicht. Denn sobald wir uns erinnern, daß ihm durch die einseitige Nötigung der Natur beim Empfinden und durch die ausschließende Gesetzgebung der Vernunft beim Denken gerade diese Freiheit entzogen wurde, so müssen wir das Vermögen, welches ihm in der ästhetischen Stimmung zurückgegeben wird, als die höchste aller Schenkungen, als die Schenkung der Menschheit betrachten. Freilich besitzt er diese Menschheit der Anlage nach schon vor jedem bestimmten Zustand, in den er kommen kann; aber der Tat nach verliert er sie mit jedem bestimmten Zustand, in den er kommt, und sie muß ihm, wenn er zu einem entgegengesetzten soll übergehen können, jedesmal aufs neue durch das ästhetische Leben zurückgegeben werden*.

* Zwar läßt die Schnelligkeit, mit welcher gewisse Charaktere von Empfindungen zu Gedanken und zu Entschließungen übergehen, die ästhetische Stimmung, welche sie in dieser Zeit notwendig durchlaufen müssen, kaum oder gar nicht bemerkbar werden. Solche Gemüter können den Zustand der Bestimmungslosigkeit nicht lang' ertragen und dringen ungeduldig auf ein Resultat, welches sie in dem Zustand ästhetischer Unbegrenztheit nicht finden. Dahingegen breitet sich bei andern, welche ihren Genuß mehr in das Gefühl des ganzen Vermögens als einer einzelnen Handlung desselben setzen, der ästhetische Zustand in eine weit

Es ist also nicht bloß poetisch erlaubt, sondern auch philosophisch richtig, wenn man die Schönheit unsre zweite Schöpferin nennt. Denn ob sie uns gleich die Menschheit bloß möglich macht und es im übrigen unserm freien Willen anheimstellt, inwieweit wir sie wirklich machen wollen, so hat sie dieses ja mit unsrer ursprünglichen Schöpferin, der Natur, gemein, die uns gleichfalls nichts weiter als das Vermögen zur Menschheit erteilte, den Gebrauch desselben aber auf unsere eigene Willensbestimmung ankommen läßt.

Zweiundzwanzigster Brief.

Wenn also die ästhetische Stimmung des Gemüts in einer Rücksicht als Null betrachtet werden muß, sobald man nämlich sein Augenmerk auf einzelne und bestimmte Wirkungen richtet, so ist sie in anderer Rücksicht wieder als ein Zustand der höchsten Realität anzusehen, insofern man dabei auf die Abwesenheit aller Schranken und auf die Summe der Kräfte achtet, die in derselben gemeinschaftlich tätig sind. Man kann also denjenigen ebenso wenig Unrecht geben, die den ästhetischen Zustand für den fruchtbarsten in Rücksicht auf Erkenntnis und Moralität erklären. Sie haben vollkommen Recht; denn eine Gemütsstimmung, welche das Ganze der Menschheit in sich begreift, muß notwendig auch jede einzelne Äußerung derselben, dem Vermögen nach, in sich schließen; eine Gemütsstimmung, welche von dem Ganzen der menschlichen Natur alle

größere Fläche aus. So sehr die ersten sich vor der Leerheit fürchten, so wenig können die letzten Beschränkung ertragen. Ich brauche kaum zu erinnern, daß die ersten fürs Detail und für subalterne Geschäfte, die letzten, vorausgesetzt daß sie mit diesem Vermögen zugleich Realität vereinigen, fürs Ganze und zu großen Rollen geboren sind.

Schranken entfernt, muß diese notwendig auch von jeder einzelnen Äußerung derselben entfernen. Eben deswegen, weil sie keine einzelne Funktion der Menschheit ausschließend in Schutz nimmt, so ist sie einer jeden ohne Unterschied günstig, und sie begünstigt ja nur deswegen keine einzelne vorzugsweise, weil sie der Grund der Möglichkeit von allen ist. Alle andere Übungen geben dem Gemüt irgend ein besondres Geschick, aber setzen ihm dafür auch eine besondere Grenze; die ästhetische allein führt zum Unbegrenzten. Jeder andere Zustand, in den wir kommen können, weist uns auf einen vorhergehenden zurück und bedarf zu seiner Auflösung eines folgenden; nur der ästhetische ist ein Ganzes in sich selbst, da er alle Bedingungen seines Ursprungs und seiner Fortdauer in sich vereinigt. Hier allein fühlen wir uns wie aus der Zeit gerissen; und unsre Menschheit äußert sich mit einer Reinheit und Integrität, als hätte sie von der Einwirkung äußrer Kräfte noch keinen Abbruch erfahren.

Was unsern Sinnen in der unmittelbaren Empfindung schmeichelt, das öffnet unser weiches und bewegliches Gemüt jedem Eindruck, aber macht uns auch in demselben Grad zur Anstrengung weniger tüchtig. Was unsre Denkkräfte anspannt und zu abgezogenen Begriffen einladet, das stärkt unsern Geist zu jeder Art des Widerstandes, aber verhärtet ihn auch in demselben Verhältnis und raubt uns ebenso viel an Empfänglichkeit, als es uns zu einer größern Selbsttätigkeit verhilft. Eben deswegen führt auch das eine wie das andre zuletzt notwendig zur Erschöpfung, weil der Stoff nicht lange der bildenden Kraft, weil die Kraft nicht lange des bildsamen Stoffes entraten kann. Haben wir uns hingegen dem Genuß echter Schönheit dahingegeben, so sind wir in einem solchen Augenblick unsrer leidenden und tätigen Kräfte in gleichem Grad Meister, und mit gleicher Leichtigkeit werden wir uns zum

Ernst und zum Spiele, zur Ruhe und zur Bewegung, zur Nachgiebigkeit und zum Widerstand, zum abstrakten Denken und zur Anschauung wenden.

Diese hohe Gleichmütigkeit und Freiheit des Geistes, mit Kraft und Rüstigkeit verbunden, ist die Stimmung, in der uns ein echtes Kunstwerk entlassen soll, und es gibt keinen sicherern Probierstein der wahren ästhetischen Güte. Finden wir uns nach einem Genuß dieser Art zu irgend einer besondern Empfindungsweise oder Handlungsweise vorzugsweise aufgelegt, zu einer andern hingegen ungeschickt und verdrossen, so dient dies zu einem untrüglichen Beweise, daß wir keine rein ästhetische Wirkung erfahren haben; es sei nun, daß es an dem Gegenstand oder an unserer Empfindungsweise oder (wie fast immer der Fall ist) an beiden zugleich gelegen habe.

Da in der Wirklichkeit keine rein ästhetische Wirkung anzutreffen ist (denn der Mensch kann nie aus der Abhängigkeit der Kräfte treten), so kann die Vortrefflichkeit eines Kunstwerks bloß in seiner größern Annäherung zu jenem Ideale ästhetischer Reinigkeit bestehen, und bei aller Freiheit, zu der man es steigern mag, werden wir es doch immer in einer besondern Stimmung und mit einer eigentümlichen Richtung verlassen. Je allgemeiner nun die Stimmung und je weniger eingeschränkt die Richtung ist, welche unserm Gemüt durch eine bestimmte Gattung der Künste und durch ein bestimmtes Produkt aus derselben gegeben wird, desto edler ist jene Gattung und desto vortrefflicher ein solches Produkt. Man kann dies mit Werken aus verschiedenen Künsten und mit verschiedenen Werken der nämlichen Kunst versuchen. Wir verlassen eine schöne Musik mit reger Empfindung, ein schönes Gedicht mit belebter Einbildungskraft, ein schönes Bildwerk und Gebäude mit aufgewecktem Verstand; wer uns aber unmittelbar nach einem hohen musikalischen

Genuß zu abgezogenem Denken einladen, unmittelbar nach einem hohen poetischen Genuß in einem abgemessenen Geschäft des gemeinen Lebens gebrauchen, unmittelbar nach Betrachtung schöner Malereien und Bildhauerwerke unsre Einbildungskraft erhitzen und unser Gefühl überraschen wollte, der würde seine Zeit nicht gut wählen. Die Ursache ist, weil auch die geistreichste Musik durch ihre Materie noch immer in einer größern Affinität zu den Sinnen steht, als die wahre ästhetische Freiheit duldet; weil auch das glücklichste Gedicht von dem willkürlichen und zufälligen Spiele der Imagination, als seines Mediums, noch immer mehr partizipiert als die innere Notwendigkeit des wahrhaft Schönen verstattet; weil auch das trefflichste Bildwerk, und dieses vielleicht am meisten, durch die Bestimmtheit seines Begriffs an die ernste Wissenschaft grenzt. Indessen verlieren sich diese besondren Affinitäten mit jedem höhern Grade, den ein Werk aus diesen drei Kunstgattungen erreicht, und es ist eine notwendige und natürliche Folge ihrer Vollendung, daß, ohne Verrückung ihrer objektiven Grenzen, die verschiedenen Künste in ihrer Wirkung auf das Gemüt einander immer ähnlicher werden. Die Musik in ihrer höchsten Veredlung muß Gestalt werden und mit der ruhigen Macht der Antike auf uns wirken; die bildende Kunst in ihrer höchsten Vollendung muß Musik werden und uns durch unmittelbare sinnliche Gegenwart rühren; die Poesie in ihrer vollkommensten Ausbildung muß uns, wie die Tonkunst, mächtig fassen, zugleich aber, wie die Plastik, mit ruhiger Klarheit umgeben. Darin eben zeigt sich der vollkommene Stil in jeglicher Kunst, daß er die spezifischen Schranken derselben zu entfernen weiß, ohne doch ihre spezifischen Vorzüge mit aufzuheben, und durch eine weise Benutzung ihrer Eigentümlichkeit ihr einen mehr allgemeinen Charakter erteilt.

Und nicht bloß die Schranken, welche der spezifische

Charakter seiner Kunstgattung mit sich bringt, auch diejenigen, welche dem besondern Stoffe, den er bearbeitet, anhängig sind, muß der Künstler durch die Behandlung überwinden. In einem wahrhaft schönen Kunstwerk soll der Inhalt nichts, die Form aber alles tun; denn durch die Form allein wird auf das Ganze des Menschen, durch den Inhalt hingegen nur auf einzelne Kräfte gewirkt. Der Inhalt, wie erhaben und weitumfassend er auch sei, wirkt also jederzeit einschränkend auf den Geist, und nur von der Form ist wahre ästhetische Freiheit zu erwarten. Darin also besteht das eigentliche Kunstgeheimnis des Meisters, daß er den Stoff durch die Form vertilgt; und je imposanter, anmaßender, verführerischer der Stoff an sich selbst ist, je eigenmächtiger derselbe mit seiner Wirkung sich vordrängt, oder je mehr der Betrachter geneigt ist, sich unmittelbar mit dem Stoff einzulassen, desto triumphierender ist die Kunst, welche jenen zurückzwingt und über diesen die Herrschaft behauptet. Das Gemüt des Zuschauers und Zuhörers muß völlig frei und unverletzt bleiben, es muß aus dem Zauberkreise des Künstlers rein und vollkommen wie aus den Händen des Schöpfers gehn. Der frivolste Gegenstand muß so behandelt werden, daß wir aufgelegt bleiben, unmittelbar von demselben zu dem strengsten Ernste überzugehen. Der ernsteste Stoff muß so behandelt werden, daß wir die Fähigkeit behalten, ihn unmittelbar mit dem leichtesten Spiele zu vertauschen. Künste des Affekts, dergleichen die Tragödie ist, sind kein Einwurf: denn erstlich sind es keine ganz freien Künste, da sie unter der Dienstbarkeit eines besondern Zweckes (des Pathetischen) stehen, und dann wird wohl kein wahrer Kunstkenner leugnen, daß Werke, auch selbst aus dieser Klasse, um so vollkommener sind, je mehr sie auch im höchsten Sturme des Affekts die Gemütsfreiheit schonen. Eine schöne Kunst der Leidenschaft gibt es; aber eine schöne leidenschaftliche Kunst ist ein Widerspruch; denn der unausbleibliche Effekt des Schönen ist Freiheit von Leidenschaften. Nicht weniger widersprechend ist der Begriff einer schönen lehrenden (didaktischen) oder bessernden (moralischen) Kunst, denn nichts streitet mehr mit dem Begriff der Schönheit, als dem Gemüt eine bestimmte Tendenz zu geben.

Nicht immer beweist es indessen eine Formlosigkeit in dem Werke, wenn es bloß durch seinen Inhalt Effekt macht; es kann ebenso oft von einem Mangel an Form in dem Beurteiler zeugen. Ist dieser entweder zu gespannt oder zu schlaff, ist er gewohnt, entweder bloß mit dem Verstand oder bloß mit den Sinnen aufzunehmen, so wird er sich auch bei dem glücklichsten Ganzen nur an die Teile und bei der schönsten Form nur an die Materie halten. Nur für das rohe Element empfänglich, muß er die ästhetische Organisation eines Werks erst zerstören, ehe er einen Genuß daran findet, und das Einzelne sorgfältig aufscharren, das der Meister mit unendlicher Kunst in der Harmonie des Ganzen verschwinden machte. Sein Interesse daran ist schlechterdings entweder moralisch oder physisch; nur gerade, was es sein soll, ästhetisch ist es nicht. Solche Leser genießen ein ernsthaftes und pathetisches Gedicht wie eine Predigt und ein naives oder scherzhaftes wie ein berauschendes Getränk; und waren sie geschmacklos genug, von einer Tragödie oder Epopöe, wenn es auch eine Messiade wäre, Erbauung zu verlangen, so werden sie an einem anakreontischen oder katullischen Liede unfehlbar ein Ärgernis nehmen.

Dreiundzwanzigster Brief.

Ich nehme den Faden meiner Untersuchung wieder auf, den ich nur darum abgerissen habe, um von den aufgestellten Sätzen die Anwendung auf die ausübende Kunst und auf die Beurteilung ihrer Werke zu machen.

Der Übergang von dem leidenden Zustande des Empfindens zu dem tätigen des Denkens und Wollens geschieht also nicht anders als durch einen mittleren Zustand ästhetischer Freiheit, und obgleich dieser Zustand an sich selbst weder für unsere Einsichten noch Gesinnungen etwas entscheidet, mithin unsern intellektuellen und moralischen Wert ganz und gar problematisch läßt, so ist er doch die notwendige Bedingung, unter welcher allein wir zu einer Einsicht und zu einer Gesinnung gelangen können. Mit einem Wort: es gibt keinen andern Weg, den sinnlichen Menschen vernünftig zu machen, als daß man denselben zuvor ästhetisch macht.

Aber, möchten Sie mir einwenden, sollte diese Vermittlung durchaus unentbehrlich sein? Sollten Wahrheit und Pflicht nicht auch schon für sich allein und durch sich selbst bei dem sinnlichen Menschen Eingang finden können? Hierauf muß ich antworten: sie können nicht nur, sie sollen schlechterdings ihre bestimmende Kraft bloß sich selbst zu verdanken haben, und nichts würde meinen bisherigen Behauptungen widersprechender sein, als wenn sie das Ansehen hätten, die entgegengesetzte Meinung in Schutz zu nehmen. Es ist ausdrücklich bewiesen worden, daß die Schönheit kein Resultat weder für den Verstand noch den Willen gebe, daß sie sich in kein Geschäft weder des Denkens noch des Entschließens mische, daß sie zu beiden bloß das Vermögen erteile, aber über den wirklichen Gebrauch dieses Vermögens durchaus nichts bestimme. Bei diesem fällt alle fremde Hilfe hinweg, und die reine logische Form, der Begriff, muß unmittelbar zu dem Verstand – die reine moralische Form, das Gesetz, unmittelbar zu dem Willen reden.

Aber daß sie dieses überhaupt nur könne – daß es überhaupt nur eine reine Form für den sinnlichen Menschen gebe, dies, behaupte ich, muß durch die ästhetische Stimmung des Gemüts erst möglich gemacht werden. Die Wahrheit ist nichts, was so wie die Wirklichkeit oder das sinnliche Dasein der Dinge von außen empfangen werden kann; sie ist etwas, das die Denkkraft selbsttätig und in ihrer Freiheit hervorbringt, und diese Selbsttätigkeit, diese Freiheit ist es ja eben, was wir bei dem sinnlichen Menschen vermissen. Der sinnliche Mensch ist schon (physisch) bestimmt und hat folglich keine freie Bestimmbarkeit mehr: diese verlorne Bestimmbarkeit muß er notwendig erst zurück erhalten, eh' er die leidende Bestimmung mit einer tätigen vertauschen kann. Er kann sie aber nicht anders zurückerhalten, als entweder indem er die passive Bestimmung verliert, die er hatte, oder indem er die aktive schon in sich enthält, zu welcher er übergehen soll. Verlöre er bloß die passive Bestimmung, so würde er zugleich mit derselben auch die Möglichkeit einer aktiven verlieren, weil der Gedanke einen Körper braucht und die Form nur an einem Stoffe realisiert werden kann. Er wird also die letztere schon in sich enthalten, er wird zugleich leidend und tätig bestimmt sein, das heißt, er wird ästhetisch werden müssen.

Durch die ästhetische Gemütsstimmung wird also die Selbsttätigkeit der Vernunft schon auf dem Felde der Sinnlichkeit eröffnet, die Macht der Empfindung schon innerhalb ihrer eigenen Grenzen gebrochen und der physische Mensch so weit veredelt, daß nunmehr der geistige sich nach Gesetzen der Freiheit aus demselben bloß zu entwickeln braucht. Der Schritt von dem ästhetischen Zustand zu dem logischen und moralischen (von der Schönheit zur Wahrheit und zur Pflicht) ist daher unendlich leichter, als der Schritt von dem physischen Zustande zu dem ästhetischen (von dem bloßen blinden Leben zur Form) war. Jenen Schritt kann der Mensch durch seine bloße Freiheit vollbringen, da er sich bloß zu nehmen, und nicht zu geben, bloß seine Natur zu vereinzeln, nicht zu erweitern braucht; der ästhetisch gestimmte Mensch wird allgemein gültig urteilen und allgemein gültig handeln, sobald er es wollen wird. Den Schritt von der rohen Materie zur Schönheit, wo eine ganz neue Tätigkeit in ihm eröffnet werden soll, muß die Natur ihm erleichtern, und sein Wille kann über eine Stimmung nichts gebieten, die ja dem Willen selbst erst das Dasein gibt. Um den ästhetischen Menschen zur Einsicht und großen Gesinnungen zu führen, darf man ihm weiter nichts als wichtige Anlässe geben; um von dem sinnlichen Menschen eben das zu erhalten, muß man erst seine Natur verändern. Bei jenem braucht es oft nichts als die Aufforderung einer erhabenen Situation (die am unmittelbarsten auf das Willensvermögen wirkt), um ihn zum Held und zum Weisen zu machen; diesen muß man erst unter einen andern Himmel versetzen.

Es gehört also zu den wichtigsten Aufgaben der Kultur, den Menschen auch schon in seinem bloß physischen Leben der Form zu unterwerfen und ihn, so weit das Reich der Schönheit nur immer reichen kann, ästhetisch zu machen, weil nur aus dem ästhetischen, nicht aber aus dem physischen Zustand der moralische sich entwickeln kann. Soll der Mensch in jedem einzelnen Fall das Vermögen besitzen, sein Urteil und seinen Willen zum Urteil der Gattung zu machen, soll er aus jedem beschränkten Dasein den Durchgang zu einem unendlichen finden, aus jedem abhängigen Zustand zur Selbständigkeit und Freiheit den Aufschwung nehmen können, so muß dafür gesorgt werden, daß er in keinem Momente bloß Individuum sei und bloß dem Naturgesetz diene. Soll er fähig und fertig sein, aus dem engen Kreis der Naturzwecke sich zu Vernunftzwecken zu erheben, so muß er sich schon innerhalb der erstern für die letztern geübt und schon seine physische Bestimmung mit einer gewissen Freiheit der Geister, d. i. nach Gesetzen der Schönheit, ausgeführt haben.

Und zwar kann er dieses, ohne dadurch im geringsten seinem physischen Zweck zu widersprechen. Die Anforderungen der Natur an ihn gehen bloß auf das, w a s er wirkt, auf den Inhalt seines Handelns; über die Art, w i e er wirkt, über die Form desselben, ist durch die Naturzwecke nichts bestimmt. Die Anforderungen der Vernunft hingegen sind streng auf die Form seiner Tätigkeit gerichtet. So notwendig es also für seine moralische Bestimmung ist, daß er rein moralisch sei, daß er eine absolute Selbsttätigkeit beweise, so gleichgültig ist es für seine physische Bestimmung, ob er rein physisch ist, ob er sich absolut leidend verhält. In Rücksicht auf diese letztere ist es also ganz in seine Willkür gestellt, ob er sie bloß als Sinnenwesen und als Naturkraft (als eine Kraft nämlich, welche nur wirkt, je nachdem sie erleidet), oder ob er sie zugleich als absolute Kraft, als Vernunftwesen ausführen will, und es dürfte wohl keine Frage sein, welches von beiden seiner Würde mehr entspricht. Vielmehr, so sehr es ihn erniedrigt und schändet, dasjenige aus sinnlichem Antriebe zu tun, wozu er sich aus reinen Motiven der Pflicht bestimmt haben sollte, so sehr ehrt und adelt es ihn, auch da nach Gesetzmäßigkeit, nach Harmonie, nach Unbeschränktheit zu streben, wo der gemeine Mensch nur sein erlaubtes Verlangen stillt*. Mit einem Wort: im Gebiete der

* Diese geistreiche und ästhetisch freie Behandlung gemeiner Wirklichkeit ist, wo man sie auch antrifft, das Kennzeichen einer e d e l n Seele. Edel ist überhaupt ein Gemüt zu nennen, welches die Gabe besitzt, auch das beschränkteste Geschäft und den kleinlichsten Gegenstand durch die Behandlungsweise in ein Unend-

Wahrheit und Moralität darf die Empfindung nichts zu bestimmen haben; aber im Bezirke der Glückseligkeit darf Form sein und darf der Spieltrieb gebieten.

liches zu verwandeln. Edel heißt jede Form, welche dem, was seiner Natur nach bloß *dient* (bloßes Mittel ist), das Gepräge der Selbständigkeit aufdrückt. Ein edler Geist begnügt sich nicht damit, selbst frei zu sein; er muß alles andere um sich her, auch das Leblose in Freiheit setzen. Schönheit aber ist der einzig mögliche Ausdruck der Freiheit in der Erscheinung. Der vorherrschende Ausdruck des Verstandes in einem Gesicht, einem Kunstwerk u. dgl. kann daher niemals edel ausfallen, wie er denn auch niemals schön ist, weil er die Abhängigkeit (welche von der Zweckmäßigkeit nicht zu trennen ist) heraushebt, anstatt sie zu verbergen.

Der Moralphilosoph lehrt uns zwar, daß man nie *mehr* tun könne als seine Pflicht, und er hat vollkommen Recht, wenn er bloß die Beziehung meint, welche Handlungen auf das Moralgesetz haben. Aber bei Handlungen, welche sich bloß auf einen Zweck beziehen, *über diesen Zweck noch hinaus* ins Übersinnliche gehen (welches hier nichts anders heißen kann als das Physische ästhetisch ausführen), heißt zugleich *über die Pflicht hinaus* gehen, indem diese nur vorschreiben kann, daß der *Wille* heilig sei, nicht daß auch schon die *Natur* sich geheiligt habe. Es gibt also zwar kein moralisches, aber es gibt ein ästhetisches Übertreffen der Pflicht, und ein solches Betragen heißt edel. Eben deswegen aber, weil bei dem Edeln immer ein Überfluß wahrgenommen wird, indem dasjenige auch einen freien formalen Wert besitzt, was bloß einen materialen zu haben brauchte, oder mit dem innern Wert, den es haben soll, noch einen äußern, der ihm fehlen dürfte, vereinigt, so haben manche ästhetischen Überfluß mit einem moralischen verwechselt und, von der Erscheinung des Edeln verführt, eine Willkür und Zufälligkeit in die Moralität selbst hineingetragen, wodurch sie ganz würde aufgehoben werden.

Von einem edeln Betragen ist ein erhabenes zu unterscheiden. Das erste geht über die sittliche Verbindlichkeit noch hinaus, aber nicht so das letztere, obgleich wir es ungleich höher als jenes achten. Wir achten es aber nicht deswegen, weil es den Vernunftbegriff seines Objekts (des Moralgesetzes), sondern weil es den Erfahrungsbegriff seines Subjekts (unsre Kenntnisse menschlicher Willens-

Also hier schon, auf dem gleichgültigen Felde des physischen Lebens, muß der Mensch sein moralisches anfangen; noch in seinem Leiden muß er seine Selbsttätigkeit, noch innerhalb seiner sinnlichen Schranken seine Vernunftfreiheit beginnen. Schon seinen Neigungen muß er das Gesetz seines Willens auflegen; er muß, wenn Sie mir den Ausdruck verstatten wollen, den Krieg gegen die Materie in ihre eigene Grenze spielen, damit er es überhoben sei, auf dem heiligen Boden der Freiheit gegen diesen furchtbaren Feind zu fechten; er muß lernen edler begehren, damit er nicht nötig habe, erhaben zu wollen. Dieses wird geleistet durch ästhetische Kultur, welche alles das, worüber weder Naturgesetze die menschliche Willkür binden noch Vernunftgesetze, Gesetzen der Schönheit unterwirft und in der Form, die sie dem äußern Leben gibt, schon das innere eröffnet.

Vierundzwanzigster Brief.

Es lassen sich also drei verschiedene Momente oder Stufen der Entwicklung unterscheiden, die sowohl der einzelne Mensch als die ganze Gattung notwendig und in einer bestimmten Ordnung durchlaufen müssen, wenn sie den ganzen Kreis ihrer Bestimmung erfüllen sollen. Durch zufällige Ursachen, die entweder in dem Einfluß der äußern Dinge oder in der freien Willkür des Men-

güte und Willensstärke) übertrifft; so schätzen wir umgekehrt ein edles Betragen nicht darum, weil es die Natur des Subjekts überschreitet, aus der es vielmehr völlig zwanglos hervorfließen muß, sondern weil es über die Natur seines Objekts (den physischen Zweck) hinaus in das Geisterreich schreitet. Dort, möchte man sagen, erstaunen wir über den Sieg, den der Gegenstand über den Menschen davonträgt; hier bewundern wir den Schwung, den der Mensch dem Gegenstande gibt.

schen liegen, können zwar die einzelnen Perioden bald verlängert, bald abgekürzt, aber keine kann ganz übersprungen, und auch die Ordnung, in welcher sie auf einander folgen, kann weder durch die Natur noch durch den Willen umgekehrt werden. Der Mensch in seinem physischen Zustand erleidet bloß die Macht der Natur; er entledigt sich dieser Macht in dem ästhetischen Zustand, und er beherrscht sie in dem moralischen.

Was ist der Mensch, ehe die Schönheit die freie Lust ihm entlockt und die ruhige Form das wilde Leben besänftigt? Ewig einförmig in seinen Zwecken, ewig wechselnd in seinen Urteilen, selbstsüchtig, ohne er selbst zu sein, ungebunden, ohne frei zu sein, Sklave, ohne einer Regel zu dienen. In dieser Epoche ist ihm die Welt bloß Schicksal, noch nicht Gegenstand; alles hat nur Existenz für ihn, insofern es ihm Existenz verschafft; was ihm weder gibt noch nimmt, ist ihm gar nicht vorhanden. Einzeln und abgeschnitten, wie er sich selbst in der Reihe der Wesen findet, steht jede Erscheinung vor ihm da. Alles, was ist, ist ihm durch das Machtwort des Augenblicks; jede Veränderung ist ihm eine ganz frische Schöpfung, weil mit dem Notwendigen in ihm die Notwendigkeit außer ihm fehlt, welche die wechselnden Gestalten in ein Weltall zusammenbindet und, indem das Individuum flieht, das Gesetz auf dem Schauplatze festhält. Umsonst läßt die Natur ihre reiche Mannigfaltigkeit an seinen Sinnen vorübergehen; er sieht in ihrer herrlichen Fülle nichts als seine Beute, in ihrer Macht und Größe nichts als seinen Feind. Entweder er stürzt auf die Gegenstände und will sie in sich reißen, in der Begierde; oder die Gegenstände dringen zerstörend auf ihn ein, und er stößt sie von sich, in der Verabscheuung. In beiden Fällen ist sein Verhältnis zur Sinnenwelt unmittelbare Berührung, und ewig von ihrem Andrang geängstigt, rastlos von dem gebieterischen Bedürfnis gequält, findet er nirgends Ruhe als in der Ermattung und nirgends Grenzen als in der erschöpften Begier.

> Zwar die gewalt'ge Brust und der Titanen
> Kraftvolles Mark ist sein . . .
> Gewisses Erbteil; doch es schmiedete
> Der Gott um seine Stirn ein ehern Band,
> Rat, Mäßigung und Weisheit und Geduld
> Verbarg er seinem scheuen düstern Blick.
> Es wird zur Wut ihm jegliche Begier,
> Und grenzenlos dringt seine Wut umher.
>
> Iphigenie auf Tauris.

Mit seiner Menschenwürde unbekannt, ist er weit entfernt, sie in andern zu ehren, und der eignen wilden Gier sich bewußt, fürchtet er sie in jedem Geschöpf, das ihm ähnlich sieht. Nie erblickt er andre in sich, nur sich in andern, und die Gesellschaft, anstatt ihn zur Gattung auszudehnen, schließt ihn nur enger und enger in sein Individuum ein. In dieser dumpfen Beschränkung irrt er durch das nachtvolle Leben, bis eine günstige Natur die Last des Stoffes von seinen verfinsterten Sinnen wälzt, die Reflexion ihn selbst von den Dingen scheidet und im Widerscheine des Bewußtseins sich endlich die Gegenstände zeigen.

Dieser Zustand roher Natur läßt sich freilich, so wie er hier geschildert wird, bei keinem bestimmten Volk und Zeitalter nachweisen; er ist bloß Idee, aber eine Idee, mit der die Erfahrung in einzelnen Zügen aufs genaueste zusammen stimmt. Der Mensch, kann man sagen, war nie ganz in diesem tierischen Zustand, aber er ist ihm auch nie ganz entflohen. Auch in den rohesten Subjekten findet man unverkennbare Spuren von Vernunftfreiheit, so wie es in den gebildetsten nicht an Momenten fehlt, die an jenen düstern Naturstand erinnern. Es ist dem Menschen einmal eigen, das Höchste und das Niedrigste in seiner Natur zu vereinigen, und wenn seine Würde auf einer strengen Unterscheidung des einen von dem andern beruht, so beruht auf einer geschickten Aufhebung dieses Unterschieds seine Glückseligkeit. Die Kultur, welche seine Würde mit seiner Glückseligkeit in Übereinstimmung bringen soll, wird also für die höchste Reinheit jener beiden Prinzipien in ihrer innigsten Vermischung zu sorgen haben.

Die erste Erscheinung der Vernunft in dem Menschen ist darum noch nicht auch der Anfang seiner Menschheit. Diese wird erst durch seine Freiheit entschieden, und die Vernunft fängt erstlich damit an, seine sinnliche Abhängigkeit grenzenlos zu machen; ein Phänomen, das mir für seine Wichtigkeit und Allgemeinheit noch nicht gehörig entwickelt scheint. Die Vernunft, wissen wir, gibt sich in dem Menschen durch die Forderung des Absoluten (auf sich selbst Gegründeten und Notwendigen) zu erkennen, welche, da ihr in keinem einzelnen Zustand seines physischen Lebens Genüge geleistet werden kann, ihn das Physische ganz und gar zu verlassen und von einer beschränkten Wirklichkeit zu Ideen aufzusteigen nötigt. Aber obgleich der wahre Sinn jener Forderung ist, ihn den Schranken der Zeit zu entreißen und von der sinnlichen Welt zu einer Idealwelt empor zu führen, so kann sie doch durch eine (in dieser Epoche der herrschenden Sinnlichkeit kaum zu vermeidende) Mißdeutung auf das physische Leben sich richten und den Menschen, anstatt ihn unabhängig zu machen, in die furchtbarste Knechtschaft stürzen.

Und so verhält es sich auch in der Tat. Auf den Flügeln der Einbildungskraft verläßt der Mensch die engen Schranken der Gegenwart, in welche die bloße Tierheit sich einschließt, um vorwärts nach einer unbeschränkten Zukunft zu streben; aber indem vor seiner schwindelnden Imagination das Unendliche aufgeht, hat sein Herz noch nicht aufgehört, im Einzelnen zu leben und dem Augenblick zu dienen. Mitten in seiner Tierheit überrascht ihn der Trieb zum Absoluten – und da in diesem dumpfen Zustande alle seine Bestrebungen bloß auf das Materielle und Zeitliche gehen und bloß auf sein Individuum sich begrenzen, so wird er durch jene Forderung bloß veranlaßt, sein Individuum, anstatt von demselben zu abstrahieren, ins Endlose auszudehnen, anstatt nach Form nach einem unversiegenden Stoff, anstatt nach dem Unveränderlichen nach einer ewig dauernden Veränderung und nach einer absoluten Versicherung seines zeitlichen Daseins zu streben. Der nämliche Trieb, der ihn, auf sein Denken und Tun angewendet, zur Wahrheit und Moralität führen sollte, bringt jetzt, auf sein Leiden und Empfinden bezogen, nichts als ein unbegrenztes Verlangen, als ein absolutes Bedürfnis hervor. Die ersten Früchte, die er in dem Geisterreich erntet, sind also Sorge und Furcht; beides Wirkungen der Vernunft, nicht der Sinnlichkeit, aber einer Vernunft, die sich in ihrem Gegenstand vergreift und ihren Imperativ unmittelbar auf den Stoff anwendet. Früchte dieses Baumes sind alle unbedingte Glückseligkeitssysteme, sie mögen den heutigen Tag oder das ganze Leben oder, was sie um nichts ehrwürdiger macht, die ganze Ewigkeit zu ihrem Gegenstand haben. Eine grenzenlose Dauer des Daseins und Wohlseins, bloß um des Daseins und Wohlseins willen, ist bloß ein Ideal der Begierde, mithin eine Forderung, die nur von einer ins Absolute strebenden Tierheit kann aufgeworfen werden. Ohne also durch eine Vernunftäußerung dieser Art etwas für seine Menschheit zu gewinnen, verliert er dadurch bloß die glückliche Beschränktheit des Tiers, vor welchem er nun bloß den unbeneidenswerten Vorzug besitzt, über dem Streben in die Ferne den Besitz der Gegenwart zu verlieren, ohne doch in der ganzen grenzenlosen Ferne je etwas anders als die Gegenwart zu suchen.

Aber wenn sich die Vernunft auch in ihrem Objekt nicht vergreift und in der Frage nicht irrt, so wird die Sinnlichkeit noch lange Zeit die Antwort verfälschen. Sobald der Mensch angefangen hat, seinen Verstand zu brauchen und die Erscheinungen umher nach Ursachen und Zwecken zu verknüpfen, so dringt die Vernunft, ihrem Begriffe gemäß, auf eine absolute Verknüpfung und auf einen unbedingten Grund. Um sich eine solche Forderung auch nur aufwerfen zu können, muß der Mensch über die Sinnlichkeit schon hinausgeschritten sein; aber eben dieser Forderung bedient sie sich, um den Flüchtling zurückzuholen. Hier wäre nämlich der Punkt, wo er die Sinnenwelt ganz und gar verlassen und zum reinen Ideenreich sich aufschwingen mußte; denn der Verstand bleibt ewig innerhalb des Bedingten stehen und frägt ewig fort, ohne je auf ein Letztes zu geraten. Da aber der Mensch, von dem hier geredet wird, einer solchen Abstraktion noch nicht fähig ist, so wird er, was er in seinem sinnlichen Erkenntniskreise nicht findet und über denselben hinaus in der reinen Vernunft noch nicht sucht, unter demselben in seinem Gefühlkreise suchen und dem Scheine nach finden. Die Sinnlichkeit zeigt ihm zwar nichts, was sein eigener Grund wäre und sich selbst das Gesetz gäbe; aber sie zeigt ihm etwas, was von keinem Grunde weiß und kein Gesetz achtet. Da er also den fragenden Verstand durch keinen letzten und innern Grund zur Ruhe bringen kann, so bringt er ihn durch den Begriff des Grundlosen wenigstens zum Schweigen und bleibt innerhalb der blinden Nötigung der Materie stehen, da er die erhabene Notwendigkeit der Vernunft noch nicht zu erfassen vermag. Weil die Sinnlichkeit keinen andern Zweck kennt als ihren Vorteil und sich durch keine andre Ursache als den blinden Zufall getrieben fühlt, so macht er jenen zum Bestimmer seiner Handlungen und diesen zum Beherrscher der Welt.

Selbst das Heilige im Menschen, das Moralgesetz, kann bei seiner ersten Erscheinung in der Sinnlichkeit dieser Verfälschung nicht entgehen. Da es bloß verbietend und gegen das Interesse seiner sinnlichen Selbstliebe spricht, so muß es ihm so lange als etwas Auswärtiges erscheinen, als er noch nicht dahin gelangt ist, jene Selbstliebe als das Auswärtige und die Stimme der Vernunft als sein wahres Selbst anzusehen. Er empfindet also bloß die Fesseln, welche die letztere ihm anlegt, nicht die unendliche Befreiung, die sie ihm verschafft. Ohne die Würde des Gesetzgebers in sich zu ahnen, empfindet er bloß den Zwang und das ohnmächtige Widerstreben des Untertans. Weil der sinnliche Trieb dem moralischen in seiner Erfahrung vorhergeht, so gibt er dem Gesetz der Notwendigkeit einen Anfang in der Zeit, einen positiven Ursprung, und durch den unglückseligsten aller Irrtümer macht er das Unveränderliche und Ewige in sich zu einem Accidens des Vergänglichen. Er überredet sich, die Begriffe von Recht und Unrecht als Statuten anzusehen, die durch einen Willen eingeführt wurden, nicht die an sich selbst und in alle Ewigkeit gültig sind. Wie er in Erklärung einzelner Naturphänomene über die Natur hinausschreitet und außerhalb derselben sucht, was nur in ihrer innern Gesetzmäßigkeit kann gefunden werden, ebenso schreitet er in Erklärung des Sittlichen über die Vernunft hinaus und verscherzt seine Menschheit, indem er auf diesem Weg eine Gottheit sucht. Kein Wunder, wenn eine Religion, die mit Wegwerfung seiner Menschheit erkauft wurde, sich einer solchen Abstammung würdig zeigt, wenn er Gesetze, die nicht von Ewigkeit her banden, auch nicht für unbedingt und in alle Ewigkeit bindend hält. Er hat es nicht mit einem heiligen, bloß mit einem mächtigen Wesen zu tun. Der Geist seiner Gottesverehrung ist also Furcht, die ihn erniedrigt, nicht Ehrfurcht, die ihn in seiner eigenen Schätzung erhebt.

Obgleich diese mannigfaltigen Abweichungen des Menschen von dem Ideale seiner Bestimmung nicht alle in der nämlichen Epoche statthaben können, indem derselbe von der Gedankenlosigkeit zum Irrtum, von der Willenlosigkeit zur Willensverderbnis mehrere Stufen zu durchwandern hat, so gehören doch alle zum Gefolge des physischen Zustandes, weil in allen der Trieb des Lebens über den Formtrieb den Meister spielt. Es sei nun, daß die Vernunft in dem Menschen noch gar nicht gesprochen habe und das Physische noch mit blinder Notwendigkeit über ihn herrsche, oder daß sich die Vernunft noch nicht genug von den Sinnen gereinigt habe und das Moralische dem Physischen noch diene: so ist in beiden Fällen das einzige in ihm gewalthabende Prinzip ein materielles und der Mensch, wenigstens seiner letzten Tendenz nach, ein sinnliches Wesen – mit dem einzigen Unterschied, daß er in dem ersten Fall ein vernunftloses, in dem zweiten ein vernünftiges Tier ist. Er soll aber keines von beiden, er soll Mensch sein; die Natur soll ihn nicht ausschließend und die Vernunft soll ihn nicht bedingt beherrschen. Beide Gesetzgebungen sollen vollkommen unabhängig von einander bestehen und dennoch vollkommen einig sein.

Fünfundzwanzigster Brief.

Solange der Mensch, in seinem ersten physischen Zustande, die Sinnenwelt bloß leidend in sich aufnimmt, bloß empfindet, ist er auch noch völlig eins mit derselben, und eben weil er selbst bloß Welt ist, so ist für ihn noch keine Welt. Erst wenn er in seinem ästhetischen Stande sie außer sich stellt oder *betrachtet*, sondert sich seine Persönlichkeit von ihr ab, und es erscheint ihm eine Welt, weil er aufgehört hat, mit derselben Eins auszumachen*.

Die Betrachtung (Reflexion) ist das erste liberale Verhältnis des Menschen zu dem Weltall, das ihn umgibt. Wenn die Begierde ihren Gegenstand unmittelbar ergreift, so rückt die Betrachtung den ihrigen in die Ferne und macht ihn eben dadurch zu ihrem wahren und unverlierbaren Eigentum, daß sie ihn vor der Leidenschaft flüchtet. Die Notwendigkeit der Natur, die ihn im Zustand der bloßen Empfindung mit ungeteilter Gewalt beherrschte, läßt bei der Reflexion von ihm ab, in den Sinnen erfolgt ein augenblicklicher Friede, die Zeit selbst, das ewig Wandelnde, steht still, indem des Bewußtseins zerstreute Strahlen sich sammeln, und ein Nachbild des Unendlichen, die Form, reflektiert sich auf dem vergänglichen Grunde. Sobald es Licht wird in dem Menschen, ist auch außer ihm keine Nacht mehr; sobald es stille wird in ihm, legt sich auch der Sturm in dem Weltall, und die streitenden Kräfte der Natur fin-

* Ich erinnere noch einmal, daß diese beiden Perioden zwar in der Idee notwendig von einander zu trennen sind, in der Erfahrung aber sich mehr oder weniger vermischen. Auch muß man nicht denken, als ob es eine Zeit gegeben habe, wo der Mensch nur in diesem physischen Stande sich befunden, und eine Zeit, wo er sich ganz von demselben losgemacht hätte. Sobald der Mensch einen Gegenstand sieht, so ist er schon nicht mehr in einem bloß physischen Zustand, und solang' er fortfahren wird, einen Gegenstand zu sehen, wird er auch jenem physischen Stand nicht entlaufen, weil er ja nur sehen kann, insofern er empfindet. Jene drei Momente, welche ich am Anfang des vierundzwanzigsten Briefs namhaft machte, sind also zwar, im ganzen betrachtet, drei verschiedene Epochen für die Entwicklung der ganzen Menschheit und für die ganze Entwicklung eines einzelnen Menschen; aber sie lassen sich auch bei jeder einzelnen Wahrnehmung eines Objekts unterscheiden und sind mit einem Wort die notwendigen Bedingungen jeder Erkenntnis, die wir durch die Sinne erhalten.

den Ruhe zwischen bleibenden Grenzen. Daher kein Wunder, wenn die uralten Dichtungen von dieser großen Begebenheit im Innern des Menschen als von einer Revolution in der Außenwelt reden und den Gedanken, der über die Zeitgesetze siegt, unter dem Bilde des Zeus versinnlichen, der das Reich des Saturnus endigt.

Aus einem Sklaven der Natur, solang' er sie bloß empfindet, wird der Mensch ihr Gesetzgeber, sobald er sie denkt. Die ihn vordem nur als Macht beherrschte, steht jetzt als Objekt vor seinem richtenden Blick. Was ihm Objekt ist, hat keine Gewalt über ihn, denn um Objekt zu sein, muß es die seinige erfahren. Soweit er der Materie Form gibt, und solange er sie gibt, ist er ihren Wirkungen unverletzlich; denn einen Geist kann nichts verletzen, als was ihm die Freiheit raubt, und er beweist ja die seinige, indem er das Formlose bildet. Nur wo die Masse schwer und gestaltlos herrscht und zwischen unsichern Grenzen die trüben Umrisse wanken, hat die Furcht ihren Sitz; jedem Schrecknis der Natur ist der Mensch überlegen, sobald er ihm Form zu geben und es in sein Objekt zu verwandeln weiß. So wie er anfängt, seine Selbständigkeit gegen die Natur als Erscheinung zu behaupten, so behauptet er auch gegen die Natur als Macht seine Würde, und mit edler Freiheit richtet er sich auf gegen seine Götter. Sie werfen die Gespensterlarven ab, womit sie seine Kindheit geängstigt hatten, und überraschen ihn mit seinem eigenen Bild, indem sie seine Vorstellung werden. Das göttliche Monstrum des Morgenländers, das mit der blinden Stärke des Raubtiers die Welt verwaltet, zieht sich in der griechischen Phantasie in den freundlichen Kontur der Menschheit zusammen, das Reich der Titanen fällt, und die unendliche Kraft ist durch die unendliche Form gebändigt.

Aber indem ich bloß einen Ausgang aus der materiellen Welt und einen Übergang in die Geisterwelt suchte, hat mich der freie Lauf meiner Einbildungskraft schon mitten in die letztere hineingeführt. Die Schönheit, die wir suchen, liegt bereits hinter uns, und wir haben sie übersprungen, indem wir von dem bloßen Leben unmittelbar zu der reinen Gestalt und zu dem reinen Objekt übergingen. Ein solcher Sprung ist nicht in der menschlichen Natur, und um gleichen Schritt mit dieser zu halten, werden wir zu der Sinnenwelt wieder umkehren müssen.

Die Schönheit ist allerdings das Werk der freien Betrachtung, und wir treten mit ihr in die Welt der Ideen – aber was wohl zu bemerken ist, ohne darum die sinnliche Welt zu verlassen, wie bei Erkenntnis der Wahrheit geschieht. Diese ist das reine Produkt der Absonderung von allem, was materiell und zufällig ist, reines Objekt, in welchem keine Schranke des Subjekts zurückbleiben darf, reine Selbsttätigkeit ohne Beimischung eines Leidens. Zwar gibt es auch von der höchsten Abstraktion einen Rückweg zur Sinnlichkeit, denn der Gedanke rührt die innre Empfindung, und die Vorstellung logischer und moralischer Einheit geht in ein Gefühl sinnlicher Übereinstimmung über. Aber wenn wir uns an Erkenntnissen ergötzen, so unterscheiden wir sehr genau unsere Vorstellung von unserer Empfindung und sehen diese letztere als etwas Zufälliges an, was gar wohl wegbleiben könnte, ohne daß deswegen die Erkenntnis aufhörte und Wahrheit nicht Wahrheit wäre. Aber ein ganz vergebliches Unternehmen würde es sein, diese Beziehung auf das Empfindungsvermögen von der Vorstellung der Schönheit absondern zu wollen; daher wir nicht damit ausreichen, uns die eine als den Effekt der andern zu denken, sondern beide zugleich und wechselseitig als Effekt und als Ursache ansehen müssen. In unserm Vergnügen an Erkenntnissen unterscheiden wir ohne Mühe den Übergang von der

Tätigkeit zum Leiden und bemerken deutlich, daß das erste vorüber ist, wenn das letztere eintritt. In unserm Wohlgefallen an der Schönheit hingegen läßt sich keine solche Succession zwischen der Tätigkeit und dem Leiden unterscheiden, und die Reflexion zerfließt hier so vollkommen mit dem Gefühle, daß wir die Form unmittelbar zu empfinden glauben. Die Schönheit ist also zwar Gegenstand für uns, weil die Reflexion die Bedingung ist, unter der wir eine Empfindung von ihr haben; zugleich aber ist sie ein Zustand unsers Subjekts, weil das Gefühl die Bedingung ist, unter der wir eine Vorstellung von ihr haben. Sie ist also zwar Form, weil wir sie betrachten; zugleich aber ist sie Leben, weil wir sie fühlen. Mit einem Wort: sie ist zugleich unser Zustand und unsre Tat.

Und eben weil sie dieses beides zugleich ist, so dient sie uns also zu einem siegenden Beweis, daß das Leiden die Tätigkeit, daß die Materie die Form, daß die Beschränkung die Unendlichkeit keineswegs ausschließe – daß mithin durch die notwendige physische Abhängigkeit des Menschen seine moralische Freiheit keineswegs aufgehoben werde. Sie beweist dieses, und, ich muß hinzusetzen, sie allein kann es uns beweisen. Denn da beim Genuß der Wahrheit oder der logischen Einheit die Empfindung mit dem Gedanken nicht notwendig eins ist, sondern auf denselben zufällig folgt, so kann uns dieselbe bloß beweisen, daß auf eine vernünftige Natur eine sinnliche folgen könne und umgekehrt; nicht, daß beide zusammen bestehen, nicht, daß sie wechselseitig auf einander wirken, nicht, daß sie absolut und notwendig zu vereinigen sind. Vielmehr müßte sich gerade umgekehrt aus dieser Ausschließung des Gefühls, solange gedacht wird, und des Gedankens, solange empfunden wird, auf eine Unvereinbarkeit beider Naturen schließen lassen, wie denn auch wirklich die Analysten keinen bessern Beweis für die Ausführbarkeit reiner Vernunft in der Menschheit anzuführen wissen als den, daß sie geboten ist. Da nun aber bei dem Genuß der Schönheit oder der ästhetischen Einheit eine wirkliche Vereinigung und Auswechslung der Materie mit der Form und des Leidens mit der Tätigkeit vor sich geht, so ist eben dadurch die Vereinbarkeit beider Naturen, die Ausführbarkeit des Unendlichen in der Endlichkeit, mithin die Möglichkeit der erhabensten Menschheit bewiesen.

Wir dürfen also nicht mehr verlegen sein, einen Übergang von der sinnlichen Abhängigkeit zu der moralischen Freiheit zu finden, nachdem durch die Schönheit der Fall gegeben ist, daß die letztere mit der erstern vollkommen zusammen bestehen könne, und daß der Mensch, um sich als Geist zu erweisen, der Materie nicht zu entfliehen brauche. Ist er aber schon in Gemeinschaft mit der Sinnlichkeit frei, wie das Faktum der Schönheit lehrt, und ist Freiheit etwas Absolutes und Übersinnliches, wie ihr Begriff notwendig mit sich bringt, so kann nicht mehr die Frage sein, wie er dazu gelange, sich von den Schranken zum Absoluten zu erheben, sich in seinem Denken und Wollen der Sinnlichkeit entgegenzusetzen, da dieses schon in der Schönheit geschehen ist. Es kann, mit einem Wort, nicht mehr die Frage sein, wie er von der Schönheit zur Wahrheit übergehe, die dem Vermögen nach schon in der ersten liegt, sondern wie er von einer gemeinen Wirklichkeit zu einer ästhetischen, wie er von bloßen Lebensgefühlen zu Schönheitsgefühlen den Weg sich bahne.

Sechsundzwanzigster Brief.

Da die ästhetische Stimmung des Gemüts, wie ich in den vorhergehenden Briefen entwickelt habe, der Freiheit erst die Entstehung gibt, so ist leicht einzusehen, daß sie nicht aus derselben entspringen und folglich keinen moralischen Ursprung haben könne. Ein Geschenk der Natur muß sie sein; die Gunst der Zufälle allein kann die Fesseln des physischen Standes lösen und den Wilden zur Schönheit führen.

Der Keim der letztern wird sich gleich wenig entwickeln, wo eine karge Natur den Menschen jeder Erquickung beraubt, und wo eine verschwenderische ihn von jeder eigenen Anstrengung losspricht – wo die stumpfe Sinnlichkeit kein Bedürfnis fühlt, und wo die heftige Begier keine Sättigung findet. Nicht da, wo der Mensch sich troglodytisch in Höhlen birgt, ewig einzeln ist und die Menschheit nie außer sich findet, auch nicht da, wo er nomadisch in großen Heermassen zieht, ewig nur Zahl ist und die Menschheit nie in sich findet – da allein, wo er in eigener Hütte still mit sich selbst und, sobald er heraustritt, mit dem ganzen Geschlechte spricht, wird sich ihre liebliche Knospe entfalten. Da wo ein leichter Äther die Sinne jeder leisen Berührung eröffnet und den üppigen Stoff eine energische Wärme beseelt – wo das Reich der blinden Masse schon in der leblosen Schöpfung gestürzt ist und die siegende Form auch die niedrigsten Naturen veredelt – dort in den fröhlichen Verhältnissen und in der gesegneten Zone, wo nur die Tätigkeit zum Genusse und nur der Genuß zur Tätigkeit führt, wo aus dem Leben selbst die heilige Ordnung quillt und aus dem Gesetz der Ordnung sich nur Leben entwickelt – wo die Einbildungskraft der Wirklichkeit ewig entflieht und dennoch von der Einfalt der Natur nie verirret – hier allein werden sich Sinne und Geist, empfangende und bildende Kraft in dem glücklichen Gleichmaß entwickeln, welches die Seele der Schönheit und die Bedingung der Menschheit ist.

Und was ist es für ein Phänomen, durch welches sich bei dem Wilden der Eintritt in die Menschheit verkündigt? So weit wir auch die Geschichte befragen, es ist dasselbe bei allen Völkerstämmen, welche der Sklaverei des tierischen Standes entsprungen sind: die Freude am Schein, die Neigung zum Putz und zum Spiele.

Die höchste Stupidität und der höchste Verstand haben darin eine gewisse Affinität mit einander, daß beide nur das Reelle suchen und für den bloßen Schein gänzlich unempfindlich sind. Nur durch die unmittelbare Gegenwart eines Objekts in den Sinnen wird jene aus ihrer Ruhe gerissen, und nur durch Zurückführung seiner Begriffe auf Tatsachen der Erfahrung wird der letztere zur Ruhe gebracht; mit einem Wort, die Dummheit kann sich nicht über die Wirklichkeit erheben und der Verstand nicht unter der Wahrheit stehen bleiben. Insofern also das Bedürfnis der Realität und die Anhänglichkeit an das Wirkliche bloße Folgen des Mangels sind, ist die Gleichgültigkeit gegen Realität und das Interesse am Schein eine wahre Erweiterung der Menschheit und ein entschiedener Schritt zur Kultur. Fürs erste zeugt es von einer äußern Freiheit: denn solange die Not gebietet und das Bedürfnis drängt, ist die Einbildungskraft mit strengen Fesseln an das Wirkliche gebunden; erst wenn das Bedürfnis gestillt ist, entwickelt sie ihr ungebundenes Vermögen. Es zeugt aber auch von einer innern Freiheit, weil es uns eine Kraft sehen läßt, die unabhängig von einem äußern Stoffe sich durch sich selbst in Bewegung setzt, und die Energie genug besitzt, die andringende Materie von sich zu halten. Die Realität der Dinge ist ihr (der Dinge) Werk; der Schein der Dinge ist des Menschen Werk, und ein Gemüt, das sich am Scheine weidet, ergötzt sich schon nicht mehr an dem, was es empfängt, sondern an dem, was es tut.

Es versteht sich wohl von selbst, daß hier nur von dem ästhetischen Schein die Rede ist, den man von der Wirklichkeit und Wahrheit unterscheidet, nicht von dem logischen, den man mit derselben verwechselt – den man folglich liebt, weil er Schein ist, und nicht, weil man ihn für etwas Besseres hält. Nur der erste ist Spiel, da der letzte bloß Betrug ist. Den Schein der ersten Art für etwas gelten lassen, kann der Wahrheit niemals Eintrag tun, weil man nie Gefahr läuft, ihn derselben unterzuschieben, was doch die einzige Art ist, wie der Wahrheit geschadet werden kann; ihn verachten, heißt alle schöne Kunst überhaupt verachten, deren Wesen der Schein ist. Indessen begegnet es dem Verstande zuweilen, seinen Eifer für Realität bis zu einer solchen Unduldsamkeit zu treiben und über die ganze Kunst des schönen Scheins, weil sie bloß Schein ist, ein wegwerfendes Urteil zu sprechen; dies begegnet aber dem Verstande nur alsdann, wenn er sich der obengedachten Affinität erinnert. Von den notwendigen Grenzen des schönen Scheins werde ich noch einmal insbesondere zu reden Veranlassung nehmen.

Die Natur selbst ist es, die den Menschen von der Realität zum Scheine emporhebt, indem sie ihn mit zwei Sinnen ausrüstete, die ihn bloß durch den Schein zur Erkenntnis des Wirklichen führen. In dem Auge und dem Ohr ist die andringende Materie schon hinweggewälzt von den Sinnen, und das Objekt entfernt sich von uns, das wir in den tierischen Sinnen unmittelbar berühren. Was wir durch das Auge *sehen*, ist von dem verschieden, was wir *empfinden*; denn der Verstand springt über das Licht hinaus zu den Gegenständen. Der Gegenstand des Takts ist eine Gewalt, die wir erleiden; der Gegenstand des Auges und des Ohrs ist eine Form, die wir erzeugen. Solange der Mensch noch ein Wilder ist, genießt er bloß mit den Sinnen des Gefühls, denen die Sinne des Scheins in dieser Periode bloß dienen. Er erhebt sich entweder gar nicht zum Sehen, oder er befriedigt sich doch nicht mit demselben. Sobald er anfängt, mit dem Auge zu genießen, und das

Sehen für ihn einen selbständigen Wert erlangt, so ist er auch schon ästhetisch frei, und der Spieltrieb hat sich entfaltet.

Gleich, sowie der Spieltrieb sich regt, der am Scheine Gefallen findet, wird ihm auch der nachahmende Bildungstrieb folgen, der den Schein als etwas Selbständiges behandelt. Sobald der Mensch einmal so weit gekommen ist, den Schein von der Wirklichkeit, die Form von dem Körper zu unterscheiden, so ist er auch imstande, sie von ihm abzusondern; denn das hat er schon getan, indem er sie unterscheidet. Das Vermögen zur nachahmenden Kunst ist also mit dem Vermögen zur Form überhaupt gegeben; der Drang zu derselben beruht auf einer andern Anlage, von der ich hier nicht zu handeln brauche. Wie frühe oder wie spät sich der ästhetische Kunsttrieb entwickeln soll, das wird bloß von dem Grade der Liebe abhängen, mit der der Mensch fähig ist, sich bei dem bloßen Schein zu verweilen.

Da alles wirkliche Dasein von der Natur, als einer fremden Macht, aller Schein aber ursprünglich von dem Menschen, als vorstellendem Subjekte, sich herschreibt, so bedient er sich bloß seines absoluten Eigentumsrechts, wenn er den Schein von dem Wesen zurücknimmt und mit demselben nach eignen Gesetzen schaltet. Mit ungebundener Freiheit kann er, was die Natur trennte, zusammenfügen, sobald er es nur irgend zusammendenken kann, und trennen, was die Natur verknüpfte, sobald er es nur in seinem Verstande absondern kann. Nichts darf ihm hier heilig sein als sein eigenes Gesetz, sobald er nur die Markung in Acht nimmt, welche *sein* Gebiet von dem Dasein der Dinge oder dem Naturgebiete scheidet.

Dieses menschliche Herrscherrecht übt er aus in der *Kunst des Scheins*, und je strenger er hier das Mein und Dein von einander sondert, je sorgfältiger er die Gestalt von dem Wesen trennt, und je mehr Selbständigkeit er derselben zu geben weiß, desto mehr wird er nicht bloß das Reich der Schönheit erweitern, sondern selbst die Grenzen der Wahrheit bewahren; denn er kann den Schein nicht von der Wirklichkeit reinigen, ohne zugleich die Wirklichkeit von dem Schein frei zu machen.

Aber er besitzt dieses souveräne Recht schlechterdings auch nur in der Welt des Scheins, in dem wesenlosen Reich der Einbildungskraft, und nur, solang' er sich im Theoretischen gewissenhaft enthält, Existenz davon auszusagen, und solang' er im Praktischen darauf Verzicht tut, Existenz dadurch zu erteilen. Sie sehen hieraus, daß der Dichter auf gleiche Weise aus seinen Grenzen tritt, wenn er seinem Ideal Existenz beilegt, und wenn er eine bestimmte Existenz damit bezweckt. Denn beides kann er nicht anders zu stande bringen, als indem er entweder sein Dichterrecht überschreitet, durch das Ideal in das Gebiet der Erfahrung greift und durch die bloße Möglichkeit wirkliches Dasein zu bestimmen sich anmaßt, oder indem er sein Dichterrecht aufgibt, die Erfahrung in das Gebiet des Ideals greifen läßt und die Möglichkeit auf die Bedingungen der Wirklichkeit einschränkt.

Nur soweit er aufrichtig ist (sich von allem Anspruch auf Realität ausdrücklich lossagt), und nur soweit er selbständig ist (allen Beistand der Realität entbehrt), ist der Schein ästhetisch. Sobald er falsch ist und Realität heuchelt, und sobald er unrein und der Realität zu seiner Wirkung bedürftig ist, ist er nichts als ein niedriges Werkzeug zu materiellen Zwecken und kann nichts für die Freiheit des Geistes beweisen. Übrigens ist es gar nicht nötig, daß der Gegenstand, an dem wir den schönen Schein finden, ohne Realität sei, wenn nur unser Urteil darüber auf diese Realität keine Rücksicht nimmt; denn soweit es diese Rücksicht nimmt, ist es kein ästhetisches. Eine lebende weibliche Schönheit wird uns freilich ebenso gut und noch ein wenig besser als eine ebenso schöne bloß gemalte gefallen; aber insoweit sie uns besser gefällt als die letztere, gefällt sie nicht mehr als selbständiger Schein, gefällt sie nicht mehr dem reinen ästhetischen Gefühl: diesem darf auch das Lebendige nur als Erscheinung, auch das Wirkliche nur als Idee gefallen; aber freilich erfordert es noch einen ungleich höheren Grad der schönen Kultur, in dem Lebendigen selbst nur den reinen Schein zu empfinden, als das Leben an dem Schein zu entbehren.

Bei welchem einzelnen Menschen oder ganzen Volk man den aufrichtigen und selbständigen Schein findet, da darf man auf Geist und Geschmack und jede damit verwandte Trefflichkeit schließen – da wird man das Ideal, das wirkliche Leben regieren, die Ehre über den Besitz, den Gedanken über den Genuß, den Traum der Unsterblichkeit über die Existenz triumphieren sehen. Da wird die öffentliche Stimme das einzig Furchtbare sein, und ein Olivenkranz höher als ein Purpurkleid ehren. Zum falschen und bedürftigen Schein nimmt nur die Ohnmacht und die Verkehrtheit ihre Zuflucht, und einzelne Menschen sowohl als ganze Völker, welche entweder „der Realität durch den Schein oder dem (ästhetischen) Schein durch Realität nachhelfen" – beides ist gerne verbunden – beweisen zugleich ihren moralischen Unwert und ihr ästhetisches Unvermögen.

Auf die Frage: „Inwieweit darf Schein in der moralischen Welt sein?" ist also die Antwort so kurz als bündig diese: Insoweit es ästhetischer Schein ist, d. h. Schein, der weder Realität vertreten will, noch von derselben vertreten zu werden braucht. Der ästhetische Schein kann der Wahrheit der Sitten niemals gefährlich werden, und wo man es anders findet, da wird sich ohne Schwierigkeit zeigen lassen, daß der Schein nicht ästhetisch war. Nur ein

Fremdling im schönen Umgang z. B. wird Versicherungen der Höflichkeit, die eine allgemeine Form ist, als Merkmale persönlicher Zuneigung aufnehmen und, wenn er getäuscht wird, über Verstellung klagen. Aber auch nur ein Stümper im schönen Umgang wird, um höflich zu sein, die Falschheit zu Hilfe rufen und schmeicheln, um gefällig zu sein. Dem ersten fehlt noch der Sinn für den selbständigen Schein, daher kann er demselben nur durch die Wahrheit Bedeutung geben; dem zweiten fehlt es an Realität, und er möchte sie gern durch den Schein ersetzen.

Nichts ist gewöhnlicher, als von gewissen trivialen Kritikern des Zeitalters die Klage zu vernehmen, daß alle Solidität aus der Welt verschwunden sei und das Wesen über dem Schein vernachlässigt werde. Obgleich ich mich gar nicht berufen fühle, das Zeitalter gegen diesen Vorwurf zu rechtfertigen, so geht doch schon aus der weiten Ausdehnung, welche diese strengen Sittenrichter ihrer Anklage geben, sattsam hervor, daß sie dem Zeitalter nicht bloß den falschen, sondern auch den aufrichtigen Schein verargen; und sogar die Ausnahmen, welche sie noch etwa zu Gunsten der Schönheit machen, gehen mehr auf den bedürftigen als auf den selbständigen Schein. Sie greifen nicht bloß die betrügerische Schminke an, welche die Wahrheit verbirgt, welche die Wirklichkeit zu vertreten sich anmaßt; sie ereifern sich auch gegen den wohltätigen Schein, der die Leerheit ausfüllt und die Armseligkeit zudeckt – auch gegen den idealischen, der eine gemeine Wirklichkeit veredelt. Die Falschheit der Sitten beleidigt mit Recht ihr strenges Wahrheitsgefühl; nur schade, daß sie zu dieser Falschheit auch schon die Höflichkeit rechnen. Es mißfällt ihnen, daß äußerer Flitterglanz so oft das wahre Verdienst verdunkelt; aber es verdrießt sie nicht weniger, daß man auch Schein vom Verdienste fordert und dem innern Gehalte die gefällige Form nicht erläßt. Sie vermissen das Herzliche, Kernhafte und Gediegene der vorigen Zeiten, aber sie möchten auch das Eckigte und Derbe der ersten Sitten, das Schwerfällige der alten Formen und den ehemaligen gotischen Überfluß wieder eingeführt sehen. Sie beweisen durch Urteile dieser Art dem Stoff an sich selbst eine Achtung, die der Menschheit nicht würdig ist, welche vielmehr das Materielle nur insoferne schätzen soll, als es Gestalt zu empfangen und das Reich der Ideen zu verbreiten imstande ist. Auf solche Stimmen braucht also der Geschmack des Jahrhunderts nicht sehr zu hören, wenn er nur sonst vor einer bessern Instanz besteht. Nicht daß wir einen Wert auf den ästhetischen Schein legen (wir tun dies noch lange nicht genug), sondern daß wir es noch nicht bis zu dem reinen Schein gebracht haben, daß wir das Dasein noch nicht genug von der Erscheinung geschieden und dadurch beider Grenzen auf ewig gesichert haben, dies ist es, was uns ein rigoristischer Richter der Schönheit zum Vorwurf machen kann. Diesen Vorwurf werden wir solang' verdienen, als wir das Schöne der lebendigen Natur nicht genießen können, ohne es zu begehren, das Schöne der nachahmenden Kunst nicht bewundern können, ohne nach einem Zwecke zu fragen – als wir der Einbildungskraft noch keine eigene absolute Gesetzgebung zugestehn und durch die Achtung, die wir ihren Werken erzeigen, sie auf ihre Würde hinweisen.

Siebenundzwanzigster Brief.

Fürchten Sie nichts für Realität und Wahrheit, wenn der hohe Begriff, den ich in dem vorhergehenden Briefe von dem ästhetischen Schein aufstellte, allgemein werden sollte. Er wird nicht allgemein werden, so lange der Mensch noch ungebildet genug ist, um einen Mißbrauch davon machen zu können; und würde er allgemein, so könnte dies nur durch eine Kultur bewirkt werden, die zugleich jeden Mißbrauch unmöglich machte. Dem selbständigen Schein nachzustreben, erfordert mehr Abstraktionsvermögen, mehr Freiheit des Herzens, mehr Energie des Willens, als der Mensch nötig hat, um sich auf die Realität einzuschränken, und er muß diese schon hinter sich haben, wenn er bei jenem anlangen will. Wie übel würde er sich also raten, wenn er den Weg zum Ideale einschlagen wollte, um sich den Weg zur Wirklichkeit zu ersparen! Von dem Schein, so wie er hier genommen wird, möchten wir also für die Wirklichkeit nicht viel zu besorgen haben; desto mehr dürfte aber von der Wirklichkeit für den Schein zu befürchten sein. An das Materielle gefesselt, läßt der Mensch diesen lange Zeit bloß seinen Zwecken dienen, ehe er ihm in der Kunst des Ideals eine eigene Persönlichkeit zugesteht. Zu dem letztern bedarf es einer totalen Revolution in seiner ganzen Empfindungsweise, ohne welche er auch nicht einmal auf dem Wege zum Ideal sich befinden würde. Wo wir also Spuren einer uninteressierten freien Schätzung des reinen Scheins entdecken, da können wir auf eine solche Umwälzung seiner Natur und den eigentlichen Anfang der Menschheit in ihm schließen. Spuren dieser Art finden sich aber wirklich schon in den ersten rohen Versuchen, die er zur Verschönerung seines Daseins macht, selbst auf die Gefahr macht, daß er es dem sinnlichen Gehalt nach dadurch verschlechtern sollte. Sobald er überhaupt nur anfängt, dem Stoff die Gestalt vorzuziehen und an den Schein (den er aber dafür erkennen muß) Realität zu wagen, so ist sein tierischer Kreis aufgetan, und er befindet sich auf einer Bahn, die nicht endet.

Mit dem allein nicht zufrieden, was der Natur genügt und was das Bedürfnis fordert, verlangt er Überfluß; anfangs zwar bloß einen Überfluß des Stoffes, um der Begier ihre Schranken zu verbergen, um den Genuß über das gegenwärtige Bedürfnis hinaus zu versichern; bald aber einen Überfluß an dem Stoffe, eine ästhetische Zugabe, um auch dem Formtrieb genug zu tun, um den Genuß über jedes Bedürfnis hinaus zu erweitern. Indem er bloß für einen künftigen Gebrauch Vorräte sammelt und in der Einbildung dieselben vorausgenießt, so überschreitet er zwar den jetzigen Augenblick, aber ohne die Zeit überhaupt zu überschreiten; er genießt mehr, aber er genießt nicht anders. Indem er aber zugleich die Gestalt in seinen Genuß zieht und auf die Formen der Gegenstände merkt, die seine Begierden befriedigen, hat er seinen Genuß nicht bloß dem Umfang und dem Grad nach erhöht, sondern auch der Art nach veredelt.

Zwar hat die Natur auch schon dem Vernunftlosen über die Notdurft gegeben und in das dunkle tierische Leben einen Schimmer von Freiheit gestreut. Wenn den Löwen kein Hunger nagt und kein Raubtier zum Kampf herausfordert, so erschafft sich die müßige Stärke selbst einen Gegenstand; mit mutvollem Gebrüll erfüllt er die hallende Wüste, und in zwecklosem Aufwand genießt sich die üppige Kraft. Mit frohem Leben schwärmt das Insekt in dem Sonnenstrahl; auch ist es sicherlich nicht der Schrei der Begierde, den wir in dem melodischen Schlag des Singvogels hören. Unleugbar ist in diesen Bewegungen Freiheit, aber nicht Freiheit von dem Bedürfnis überhaupt, bloß von einem bestimmten, von einem äußern Bedürfnis. Das Tier arbeitet, wenn ein Mangel die Triebfeder seiner Tätigkeit ist, und es spielt, wenn der Reichtum der Kraft diese Triebfeder ist, wenn das überflüssige Leben sich selbst zur Tätigkeit stachelt. Selbst in der unbeseelten Natur zeigt sich ein solcher Luxus der Kräfte und eine Laxität der Bestimmung, die man in jenem materiellen Sinn gar wohl Spiel nennen könnte. Der Baum treibt unzählige Keime, die unentwickelt verderben, und streckt weit mehr Wurzeln, Zweige und Blätter nach Nahrung aus, als zu Erhaltung seines Individuums und seiner Gattung verwendet werden. Was er von seiner verschwenderischen Fülle ungebraucht und ungenossen dem Elementarreich zurückgibt, das darf das Lebendige in fröhlicher Bewegung verschwelgen. So gibt uns die Natur schon in ihrem materiellen Reich ein Vorspiel des Unbegrenzten und hebt hier schon zum Teil die Fesseln auf, deren sie sich im Reich der Form ganz und gar entledigt. Von dem Zwang des Bedürfnisses oder dem physischen Ernste nimmt sie durch den Zwang des Überflusses oder das physische Spiel den Übergang zum ästhetischen Spiele, und ehe sie sich in der hohen Freiheit des Schönen über die Fessel jedes Zweckes erhebt, nähert sie sich dieser Unabhängigkeit wenigstens von ferne schon in der freien Bewegung, die sich selbst Zweck und Mittel ist.

Wie die körperlichen Werkzeuge, so hat in dem Menschen auch die Einbildungskraft ihre freie Bewegung und ihr materielles Spiel, in welchem sie, ohne alle Beziehung auf Gestalt, bloß ihrer Eigenmacht und Fessellosigkeit sich freut. Insofern sich noch gar nichts von Form in diese Phantasiespiele mischt und eine ungezwungene Folge von Bildern den ganzen Reiz derselben ausmacht, gehören sie, obgleich sie dem Menschen allein zukommen können, bloß zu seinem animalischen Leben und beweisen bloß seine Befreiung von jedem äußern sinnlichen Zwang, ohne noch auf eine selbständige bildende Kraft in ihm schließen zu lassen*. Von diesem

* Die mehresten Spiele, welche im gemeinen Leben im Gange sind, beruhen entweder ganz und gar auf diesem Gefühle der freien Ideenfolge, oder entlehnen doch ihren größten Reiz von demselben. So wenig es aber auch an sich selbst für eine höhere Natur beweist, und so gerne sich gerade die schlaffesten Seelen diesem freien Bilderstrome zu überlassen pflegen, so ist doch eben

Spiel der freien Ideenfolge, welches noch ganz materieller Art ist und aus bloßen Naturgesetzen sich erklärt, macht endlich die Einbildungskraft in dem Versuch einer freien Form den Sprung zum ästhetischen Spiele. Einen Sprung muß man es nennen, weil sich eine ganz neue Kraft hier in Handlung setzt; denn hier zum erstenmal mischt sich der gesetzgebende Geist in die Handlungen eines blinden Instinktes, unterwirft das willkürliche Verfahren der Einbildungskraft seiner unveränderlichen ewigen Einheit, legt seine Selbständigkeit in das Wandelbare und seine Unendlichkeit in das Sinnliche. Aber solange die rohe Natur noch zu mächtig ist, die kein anderes Gesetz kennt, als rastlos von Veränderung zu Veränderung fortzueilen, wird sie durch ihre unstete Willkür jener Notwendigkeit, durch ihre Unruhe jener Stetigkeit, durch ihre Bedürftigkeit jener Selbständigkeit, durch ihre Ungenügsamkeit jener erhabenen Einfalt entgegenstreben. Der ästhetische Spieltrieb wird also in seinen ersten Versuchen noch kaum zu erkennen sein, da der sinnliche mit seiner eigensinnigen Laune und seiner wilden Begierde unaufhörlich dazwischentritt. Daher sehen wir den rohen Geschmack das Neue und Überraschende, das Bunte,

diese Unabhängigkeit der Phantasie von äußern Eindrücken wenigstens die negative Bedingung ihres schöpferischen Vermögens. Nur indem sie sich von der Wirklichkeit losreißt, erhebt sich die bildende Kraft zum Ideale, und ehe die Imagination in ihrer produktiven Qualität nach eignen Gesetzen handeln kann, muß sie sich schon bei ihrem reproduktiven Verfahren von fremden Gesetzen frei gemacht haben. Freilich ist von der bloßen Gesetzlosigkeit zu einer selbständigen innern Gesetzgebung noch ein sehr großer Schritt zu tun, und eine ganz neue Kraft, das Vermögen der Ideen, muß hier ins Spiel gemischt werden – aber diese Kraft kann sich nunmehr auch mit mehrerer Leichtigkeit entwickeln, da die Sinne ihr nicht entgegenwirken und das Unbestimmte wenigstens negativ an das Unendliche grenzt.

Abenteuerliche und Bizarre, das Heftige und Wilde zuerst ergreifen und vor nichts so sehr als vor der Einfalt und Ruhe fliehen. Er bildet groteske Gestalten, liebt rasche Übergänge, üppige Formen, grelle Kontraste, schreiende Lichter, einen pathetischen Gesang. Schön heißt ihm in dieser Epoche bloß, was ihn aufregt, was ihm Stoff gibt – aber aufregt zu einem selbsttätigen Widerstand, aber Stoff gibt für ein mögliches Bilden, denn sonst würde es selbst ihm nicht das Schöne sein. Mit der Form seiner Urteile ist also eine merkwürdige Veränderung vorgegangen; er sucht diese Gegenstände nicht, weil sie ihm etwas zu erleiden, sondern weil sie ihm zu handeln geben; sie gefallen ihm nicht, weil sie einem Bedürfnis begegnen, sondern weil sie einem Gesetze Genüge leisten, welches, obgleich noch leise, in seinem Busen spricht.

Bald ist er nicht mehr damit zufrieden, daß ihm die Dinge gefallen: er will selbst gefallen, anfangs zwar nur durch das, was s e i n ist, endlich durch das, was e r ist. Was er besitzt, was er hervorbringt, darf nicht mehr bloß die Spuren der Dienstbarkeit, die ängstliche Form seines Zwecks an sich tragen; neben dem Dienst, zu dem es da ist, muß es zugleich den geistreichen Verstand, der es dachte, die liebende Hand, die es ausführte, den heitern und freien Geist, der es wählte und aufstellte, widerscheinen. Jetzt sucht sich der alte Germanier glänzendere Tierfelle, prächtigere Geweihe, zierlichere Trinkhörner aus, und der Kaledonier wählt die nettesten Muscheln für seine Feste. Selbst die Waffen dürfen jetzt nicht mehr bloß Gegenstände des Schreckens, sondern auch des Wohlgefallens sein, und das kunstreiche Wehrgehänge will nicht weniger bemerkt sein als des Schwertes tötende Schneide. Nicht zufrieden, einen ästhetischen Überfluß in das Notwendige zu bringen, reißt sich der freiere Spieltrieb endlich ganz von den Fesseln der Notdurft los, und das Schöne wird für sich allein ein Objekt seines Strebens. Er schmückt sich. Die freie Lust wird in die Zahl seiner Bedürfnisse aufgenommen, und das Unnötige ist bald der beste Teil seiner Freuden.

So wie sich ihm von außen her, in seiner Wohnung, seinem Hausgeräte, seiner Bekleidung allmählich die Form nähert, so fängt sie endlich an, von ihm selbst Besitz zu nehmen und anfangs bloß den äußern, zuletzt auch den innern Menschen zu verwandeln. Der gesetzlose Sprung der Freude wird zum Tanz, die ungestalte Geste zu einer anmutigen harmonischen Gebärdensprache; die verworrenen Laute der Empfindung entfalten sich, fangen an, dem Takt zu gehorchen und sich zum Gesange zu biegen. Wenn das trojanische Heer mit gellendem Geschrei gleich einem Zug von Kranichen ins Schlachtfeld heranstürmt, so nähert sich das griechische demselben still und mit edlem Schritt. Dort sehen wir bloß den Übermut blinder Kräfte, hier den Sieg der Form und die simple Majestät des Gesetzes.

Eine schönere Notwendigkeit kettet jetzt die Geschlechter zusammen, und der Herzen Anteil hilft das Bündnis bewahren, das die Begierde nur launisch und wandelbar knüpft. Aus ihren düstern Fesseln entlassen, ergreift das ruhigere Auge die Gestalt, die Seele schaut in die Seele, und aus einem eigennützigen Tausche der Lust wird ein großmütiger Wechsel der Neigung. Die Begierde erweitert und erhebt sich zur Liebe, so wie die Menschheit in ihrem Gegenstand aufgeht, und der niedrige Vorteil über den Sinn wird verschmäht, um über den Willen einen edleren Sieg zu erkämpfen. Das Bedürfnis, zu gefallen, unterwirft den Mächtigen des Geschmackes zartem Gericht; die Lust kann er rauben, aber die Liebe muß eine Gabe sein. Um diesen höhern Preis kann er nur durch Form, nicht durch Materie ringen. Er muß aufhören, das Gefühl als Kraft zu berühren, und als Erscheinung dem Verstand gegenüberstehn;

er muß Freiheit lassen, weil er der Freiheit gefallen will. So wie die Schönheit den Streit der Naturen in seinem einfachsten und reinsten Exempel, in dem ewigen Gegensatz der Geschlechter löst, so löst sie ihn – oder zielt wenigstens dahin, ihn auch in dem verwickelten Ganzen der Gesellschaft zu lösen und nach dem Muster des freien Bundes, den sie dort zwischen der männlichen Kraft und der weiblichen Milde knüpft, alles Sanfte und Heftige in der moralischen Welt zu versöhnen. Jetzt wird die Schwäche heilig, und die nicht gebändigte Stärke entehrt; das Unrecht der Natur wird durch die Großmut ritterlicher Sitten verbessert. Den keine Gewalt erschrecken darf, entwaffnet die holde Röte der Scham, und Tränen ersticken eine Rache, die kein Blut löschen konnte. Selbst der Haß merkt auf der Ehre zarte Stimme, das Schwert des Überwinders verschont den entwaffneten Feind, und ein gastlicher Herd raucht dem Fremdling an der gefürchteten Küste, wo ihn sonst nur der Mord empfing.

Mitten in dem furchtbaren Reich der Kräfte und mitten in dem heiligen Reich der Gesetze baut der ästhetische Bildungstrieb unvermerkt an einem dritten, fröhlichen Reiche des Spiels und des Scheins, worin er dem Menschen die Fesseln aller Verhältnisse abnimmt und ihn von allem, was Zwang heißt, sowohl im Physischen als im Moralischen entbindet.

Wenn in dem dynamischen Staat der Rechte der Mensch dem Menschen als Kraft begegnet und sein Wirken beschränkt – wenn er sich ihm in dem ethischen Staat der Pflichten mit der Majestät des Gesetzes entgegenstellt und sein Wollen fesselt, so darf er ihm im Kreise des schönen Umgangs, in dem ästhetischen Staat, nur als Gestalt erscheinen, nur als Objekt des freien Spiels gegenüberstehen. Freiheit zu geben durch Freiheit ist das Grundgesetz dieses Reichs.

Der dynamische Staat kann die Gesellschaft bloß

möglich machen, indem er die Natur durch Natur bezähmt; der ethische Staat kann sie bloß (moralisch) notwendig machen, indem er den einzelnen Willen dem allgemeinen unterwirft; der ästhetische Staat allein kann sie wirklich machen, weil er den Willen des Ganzen durch die Natur des Individuums vollzieht. Wenn schon das Bedürfnis den Menschen in die Gesellschaft nötigt und die Vernunft gesellige Grundsätze in ihm pflanzt, so kann die Schönheit allein ihm einen geselligen Charakter erteilen. Der Geschmack allein bringt Harmonie in die Gesellschaft, weil er Harmonie in dem Individuum stiftet. Alle andre Formen der Vorstellung trennen den Menschen, weil sie sich ausschließend entweder auf den sinnlichen oder auf den geistigen Teil seines Wesens gründen; nur die schöne Vorstellung macht ein Ganzes aus ihm, weil seine beiden Naturen dazu zusammenstimmen müssen. Alle andere Formen der Mitteilung trennen die Gesellschaft, weil sie sich ausschließend entweder auf die Privatempfänglichkeit oder auf die Privatfertigkeit der einzelnen Glieder, also auf das Unterscheidende zwischen Menschen und Menschen beziehen; nur die schöne Mitteilung vereinigt die Gesellschaft, weil sie sich auf das Gemeinsame aller bezieht. Die Freuden der Sinne genießen wir bloß als Individuen, ohne daß die Gattung, die in uns wohnt, daran Anteil nähme; wir können also unsre sinnlichen Freuden nicht zu allgemeinen erweitern, weil wir unser Individuum nicht allgemein machen können. Die Freuden der Erkenntnis genießen wir bloß als Gattung, und indem wir jede Spur des Individuums sorgfältig aus unserm Urteil entfernen; wir können also unsre Vernunftfreuden nicht allgemein machen, weil wir die Spuren des Individuums aus dem Urteile anderer nicht so wie aus dem unsrigen ausschließen können. Das Schöne allein genießen wir als Individuum und als Gattung zugleich, d. h. als Repräsentanten der Gattung. Das sinnliche Gute kann nur einen Glücklichen machen, da es sich auf Zueignung gründet, welche immer eine Ausschließung mit sich führt; es kann diesen einen auch nur einseitig glücklich machen, weil die Persönlichkeit nicht daran teilnimmt. Das absolut Gute kann nur unter Bedingungen glücklich machen, die allgemein nicht vorauszusetzen sind; denn die Wahrheit ist nur der Preis der Verleugnung, und an den reinen Willen glaubt nur ein reines Herz. Die Schönheit allein beglückt alle Welt, und jedes Wesen vergißt seiner Schranken, so lang' es ihren Zauber erfährt.

Kein Vorzug, keine Alleinherrschaft wird geduldet, soweit der Geschmack regiert und das Reich des schönen Scheins sich verbreitet. Dieses Reich erstreckt sich aufwärts, bis wo die Vernunft mit unbedingter Notwendigkeit herrscht und alle Materie aufhört; es erstreckt sich niederwärts, bis wo der Naturtrieb mit blinder Nötigung waltet und die Form noch nicht anfängt; ja selbst auf diesen äußersten Grenzen, wo die gesetzgebende Macht ihm genommen ist, läßt sich der Geschmack doch die vollziehende nicht entreißen. Die ungesellige Begierde muß ihrer Selbstsucht entsagen und das Angenehme, welches sonst nur die Sinne lockt, das Netz der Anmut auch über die Geister auswerfen. Der Notwendigkeit strenge Stimme, die Pflicht, muß ihre vorwerfende Formel verändern, die nur der Widerstand rechtfertigt, und die willige Natur durch ein edleres Zutrauen ehren. Aus den Mysterien der Wissenschaft führt der Geschmack die Erkenntnis unter den offenen Himmel des Gemeinsinns heraus und verwandelt das Eigentum der Schulen in ein Gemeingut der ganzen menschlichen Gesellschaft. In seinem Gebiete muß auch der mächtigste Genius sich seiner Hoheit begeben und zu dem Kindersinn vertraulich herniedersteigen. Die Kraft muß sich binden lassen durch die Huldgöttinnen, und der trotzige Löwe dem Zaum eines Amors gehorchen. Dafür breitet er über das physische Bedürfnis, das in seiner nackten Gestalt die Würde freier Geister beleidigt, seinen mildernden Schleier aus und verbirgt uns die entehrende Verwandtschaft mit dem Stoff in einem lieblichen Blendwerk von Freiheit. Beflügelt durch ihn entschwingt sich auch die kriechende Lohnkunst dem Staube, und die Fesseln der Leibeigenschaft fallen, von seinem Stabe berührt, von dem Leblosen wie von dem Lebendigen ab. In dem ästhetischen Staate ist alles – auch das dienende Werkzeug ein freier Bürger, der mit dem edelsten gleiche Rechte hat, und der Verstand, der die duldende Masse unter seine Zwecke gewalttätig beugt, muß sie hier um ihre Beistimmung fragen. Hier also, in dem Reiche des ästhetischen Scheins, wird das Ideal der Gleichheit erfüllt, welches der Schwärmer so gern auch dem Wesen nach realisiert sehen möchte; und wenn es wahr ist, daß der schöne Ton in der Nähe des Thrones am frühesten und am vollkommensten reift, so müßte man auch hier die gütige Schickung erkennen, die den Menschen oft nur deswegen in der Wirklichkeit einzuschränken scheint, um ihn in eine idealische Welt zu treiben.

Existiert aber auch ein solcher Staat des schönen Scheins, und wo ist er zu finden? Dem Bedürfnis nach existiert er in jeder feingestimmten Seele; der Tat nach möchte man ihn wohl nur, wie die reine Kirche und die reine Republik, in einigen wenigen auserlesenen Zirkeln finden, wo nicht die geistlose Nachahmung fremder Sitten, sondern eigne schöne Natur das Betragen lenkt, wo der Mensch durch die verwickeltsten Verhältnisse mit kühner Einfalt und ruhiger Unschuld geht und weder nötig hat, fremde Freiheit zu kränken, um die seinige zu behaupten, noch seine Würde wegzuwerfen, um Anmut zu zeigen.

LITERATURHINWEISE

Wilhelm von Humboldt: *Über Schiller und den Gang seiner Geistesentwicklung.* Vorerinnerung zu dem von Humboldt herausgegebenen Briefwechsel mit Schiller. 1830.

Karl Tomaschek: *Schiller in seinem Verhältnis zur Wissenschaft.* Wien 1862.

Kuno Fischer: *Schiller als Philosoph.* 2. Aufl. In: K. F.: Schiller-Schriften. Heidelberg 1891/92.

Eugen Kühnemann: *Kants und Schillers Begründung der Ästhetik.* München 1895.

Oskar Walzel: *Einleitung in Schillers philosophische Schriften.* In: Schillers Sämtliche Werke, Säkular-Ausgabe, Bd. XI. Stuttgart und Berlin 1905.

Julia Wernly: *Prolegomena zu einem Lexikon der ästhetisch-ethischen Terminologie Friedrich Schillers.* Leipzig 1909.

Berta Mugdan: *Die theoretischen Grundlagen der Schillerschen Philosophie.* (Kantstudien, Ergänzungsheft 19.) Berlin 1910.

Ernst Cassirer: *Freiheit und Form.* 2. Aufl., Berlin 1918 (Kap. 5 u. 6).

Ernst Cassirer: *Die Methodik des Idealismus in Schillers philosophischen Schriften.* In: E. C.: Idee und Gestalt. Berlin 1921.

Karl Vorländer: *Kant, Schiller, Goethe.* 2. Aufl., Leipzig 1923.

Wilhelm Böhm: *Schillers „Briefe über die ästhetische Erziehung des Menschen“.* Halle 1927.

Harald Jensen: *Schiller zwischen Goethe und Kant.* Oslo 1927.

Hans Lutz: *Schillers Anschauungen von Kultur und Natur.* Berlin 1928.

Hermann August Korff: *Geist der Goethezeit.* Bd. II. Leipzig 1930 (Kap. 3).

Gottfried Baumecker: *Schillers Schönheitslehre.* Heidelberg 1937.

Eduard Spranger: *Schillers Geistesart, gespiegelt in seinen philosophischen Schriften und Gedichten.* (Abhandlungen der Preußischen Akademie der Wissenschaften) Berlin 1941.

Friedrich-Wilhelm Wentzlaff-Eggebert: *Schillers Weg zu Goethe.* Tübingen und Stuttgart 1949.

Melitta Gerhard: *Schiller.* Bern 1950.

Benno von Wiese: *Friedrich Schiller.* Stuttgart 1959 (bes. Kap. 19).

S. S. Kerry: *Schiller's Writings on Aesthetics.* Manchester 1961.

NACHWORT

Schillers ästhetisches Denken

Es beeinträchtigt Schillers Bedeutung als Denker nicht, wenn man ausspricht, daß seine ästhetischen Schriften, vor allem die beiden großen Abhandlungen *Über Anmut und Würde* (1793) und *Über die ästhetische Erziehung des Menschen, in einer Reihe von Briefen* (1795) ganz besondere denkmethodische und begriffliche Schwierigkeiten aufweisen. Und noch ehe wir auf unser Hauptthema, die Erläuterung der *Briefe über die ästhetische Erziehung* (im folgenden als *Briefe* zitiert), eingehen, mag der Grund dafür genannt werden, so blasphemisch dieser in Hinsicht auf den Dichter klingen mag, der das Schöne so oft angerufen, verherrlicht und um sein Vergehen geklagt hat: es ist die theoretische Bemühung um das Schöne, das Phänomen des Ästhetischen selbst.

Dies ist kein Zufall. Das Problem der Schönheit ist, und war es besonders im 18. und noch im 19. Jahrhundert, mehrdeutiger, unkonturierter als die Probleme der Ethik, Metaphysik, Religion usw. Die Idee der Schönheit wurde zusammengedacht nicht nur mit der Kunst, sondern auch mit dem Menschen. Und wenn das erstere eine sozusagen legitime, wenn auch vage Gedankenverbindung ist – da das Schöne kein Kriterium für die Seinsweise des Kunstwerks ist und etwa das Porträt einer schönen Frau noch kein schönes Kunstwerk zu sein braucht, das einer häßlichen es dagegen sein kann –, so bedeutet die Anwendung des Schönheitsbegriffes auf den Menschen eine Legierung, in der das Phänomen des Schönen sich auflöst. Denn diese Anwendung bezog sich nicht auf die Gestalt, sondern die Verhaltensweise, die

„Moral" des Menschen. Der von den englischen Moralphilosophen (Shaftesbury, Hume) stammende Begriff der „moral grace", moralischen Schönheit, wie auch der andere beliebte Begriff der „schönen Seele" stellen eine Verbindung von Begriffen dar, die keinem Phänomen entspricht[1]. Shaftesbury stellte die Übertragung des autochthonen, Gestalthaftes meinenden Schönheitsbegriffes auf die moralische Verfassung, die „Tugend", mit Hilfe einer Harmonievorstellung her: und zwar mit Hilfe dessen, was er als die kosmische Harmonie oder Ordnung der Schöpfung erkannte, wie er es besonders in einer seiner Hauptschriften, *Die Moralisten* (1709), verkündete. So nannte er das „Gleichgewicht der Leidenschaften" (the balance of passions) die Schönheit der Tugend. „Wir sehen Schönheit und Schicklichkeit hier ebenso wie in der Natur; und die Ordnung der moralischen Welt gleicht der der Natur", so sagt in den als Dialog gestalteten *Moralisten* der Vertreter dieser Idee, Palemon.

1. Doch gab es auch zeitgenössische Kritik an dieser Begriffsverbindung (die, gerichtet gegen die englischen Moralphilosophen, sich auch auf den Verfasser von *Anmut und Würde* beziehen könnte). Edmund Burke, der politische Publizist und Gegner der Französischen Revolution, sagt in seiner einflußreichen ästhetischen Jugendschrift über das Erhabene und das Schöne (*A philosophical Enquiry into the Origine of our Ideas on the Sublime and the Beautiful*, 1756): „Wenn man diese Qualität [die Schönheit] ganz allgemein der Tugend zuspricht, so enthält dies eine starke Tendenz zur Verwirrung unserer Ideen von den Dingen und gibt einer Menge absonderlicher Theorien Raum . . . Eine so nachlässige und unpräzise Redeweise hat uns sowohl in der Theorie des Geschmacks wie der Moral irregeführt und uns dazu verleitet, die wissenschaftliche Behandlung unserer Pflichten von ihrer eigentlichen Grundlage, unserer Vernunft, unseren Verhältnissen und unseren Bedürfnissen abzulösen und auf Fundamenten zu erbauen, die gänzlich phantastisch sind und jeder Substanz entbehren." (Nach der deutschen Ausgabe von Friedrich Bassenge, Berlin 1956.) – Und in seinem kritischen Aufsatz über Shaftesbury *(Shaftesbury. Principium der Tugend)* stellt Herder eindeutig fest: „vielmehr ist diese Schönheit des Menschen und im Menschen nichts als reiner Charakter."

Auf diese ästhetisch-ethische Harmonievorstellung Shaftesburys ist hinzuweisen, weil sie Schillers ästhetischen Bemühungen Anstoß und Richtung gegeben hat, die, vor seinem Studium Kants empfangen, sich durch dieses hindurch erhalten und sich im Kapitel „Anmut" und in den *Briefen* ausgewirkt hat. Dies ist keine bloße Vermutung, auch wenn ein direkter Beleg in Form einer Bezugnahme nicht vorliegt. Aber es gibt ein kleines Dramenfragment Schillers aus den achtziger Jahren, *Der Menschenfeind*, das den Einfluß von Shaftesburys *Moralisten* nicht nur durch seine Idee, sondern durch wörtliche Anlehnung verrät. Schon der Titel des Fragments weist darauf hin. Schillers Menschenfeind, der Herr von Hutten, ist dies im selben Sinne wie Shaftesburys Palemon, der die Menschen haßt, weil sie nicht seinem Menschenideal der Harmonie und moralischen Schönheit entsprechen, und deshalb von seinem Gesprächspartner ein „richtiger Timon oder Menschenfeind (manhater)" genannt wird. – Nun aber verband sich in diesen Jahren für Schiller der Einfluß Shaftesburys mit demjenigen Winckelmanns und seiner aus den hellenistischen Götterstatuen hergeleiteten Idealvorstellung des Menschen als schöner, edler Gestalt, in der er den Ausdruck für ein edles Menschentum, „edle Einfalt und stille Größe", erkennen wollte[2]. Aus dem Geiste Winckelmanns aber bildete Schiller die Figur der Angelika, der Tochter Huttens; und sie ist es, in der dieser sein Menschheitsideal verkörpert sehen will, indem sie als schöne Gestalt zugleich „die schönere Seele" darstellen und, entrückt von den Menschen, ja zur „Gottheit" erhöht, ihnen das Ideal vordemonstrieren soll, was sie so schmählich verkennen, ja in ihm selbst verkannt hätten. „Mit der unwiderstehlichen Schönheit bewaffnet, wiederhole du vor ihren Augen das

2. Der *Brief eines reisenden Dänen* (1785), in dem Schiller seine Eindrücke von dem Mannheimer Antikensaal schildert, ist von Winckelmanns Auffassung und Terminologie geprägt: „Die Griechen malten ihre Götter nur als edlere Menschen und näherten ihre Menschen den Göttern."

Leben, das ich in ihrer Mitte unerkannt lebte, und durch deine Anmut triumphiere meine verurteilte Tugend ... und jetzt fliehe in deine Glorie hinauf ... So stelle ich dich hinaus in die Menschheit ...“ Daß der Konflikt des Stückes in der Weigerung Angelikas, die sich soeben verlobt hat, bestehen sollte, auf menschliches Leben und Glück zu verzichten und als göttliche Idealgestalt zu fungieren, ist eine Sache für sich. Das Interessante des von unfreiwilliger Komik nicht freien Dramenentwurfs ist seine Funktion und Schlüsselstellung für Schillers ästhetische Bemühungen. Die Idee der „Anmut“ (der deutsche Begriff für „moral grace“), die Angelika in göttlicher Idealität darstellen sollte, hat Schiller dann sechs Jahre später, während seines Kantstudiums, besonders der *Kritik der Urteilskraft*, philosophisch entwickelt. Und nun ist es aufschlußreich zu verfolgen, wie auch die theoretische Darstellung der Anmut als „schöne Seele“, und das heißt als spezifisch menschliche Schönheit, deshalb mißlingt, weil Schiller mehr in Winckelmanns als in Shaftesburys Geiste die innere „Schönheit“ zu ängstlich an die äußere, die „architektonische“, binden wollte.

Der im Grunde einfache Sachverhalt der komplizierten Darstellung der Anmut in *Anmut und Würde*[3] ist, daß die Beseelung, die der menschlichen Gestalt als menschliche – vom Geist, von der „Person“ geprägte – eignet, diese Gestalt „verschönen“ kann, ja daß ein Mensch auch bei Mangel an „Schönheit des Baus“ geistbeseelte Schönheit haben, eine schöne Seele sein kann. Und es heißt deutlich: „Eine schöne Seele gießt auch über eine Bildung, der es an architektonischer Schönheit mangelt, eine unwiderstehliche Grazie aus, und oft sieht man sie selbst über Gebrechen der Natur triumphieren.“ Aber der einfache Sinn dieses Satzes wird immer wieder aufgehoben, weil Schiller, winckelmannisch befan-

3. Dieses Begriffspaar war die Übersetzung des englischen, bei Shaftesbury und Hume vorkommenden „grace and dignity“, die Schiller in Johann Georg Sulzers *Allgemeine Theorie der schönen Künste* (1771–74) finden konnte.

gen, dennoch glaubte, für die Analyse der Anmut oder schönen Seele den Begriff der Gestaltschönheit fundierend beibehalten zu müssen. „Zur Anmut muß sowohl der körperliche Bau als der Charakter beitragen", folgt unmittelbar und widerspruchsvoll auf den obigen Satz. – Dennoch löst sich in dem Maße, in dem Schiller sich der ethischen Kategorien Kants bedient oder sich mit ihnen auseinandersetzt, die Gestaltkomponente der Anmutsbestimmung auf. Damit wird dann die Schönheit aus der Idee des Menschenwesens, das ist der Humanitätsidee, überhaupt eliminiert. Die Kantischen Kategorien Sinnlichkeit und Vernunft, ja sogar Neigung und Pflicht werden eingesetzt und ihre harmonische Synthese, wo „Vernunft und Sinnlichkeit, Pflicht und Neigung zusammenstimmen", zur Bedingung der „Schönheit des Ausdrucks" gemacht. Man beachte den Sprung, der in diesem berühmten Satze erfolgt ist: den Sprung aus dem ästhetischen in den ethischen Bereich. Denn wenn noch allenfalls ein harmonisches Verhältnis von „Vernunft und Sinnlichkeit" als eine Grundlage spezifisch menschlicher, nämlich geist- und seelengeprägter Schönheit (und auch hier nur des Antlitzes, auf das Schiller auch schon vorher, mit physiognomischen Begriffen Lavaterscher Provenienz arbeitend, die Schönheit des Baus eingeschränkt hatte) statuiert werden kann, so verliert sich die Vorstellung einer solchen Versinnlichung völlig, wenn Vernunft mit Pflicht, Sinnlichkeit mit Neigung gleichgesetzt wird. Schiller befindet sich nicht mehr im Bereiche des Schönen, sondern in dem der Ethik, und dies um so mehr, wenn er nun – in berühmten Ausführungen – sich mit dem Kantischen Rigorismus der Pflicht auseinandersetzt. Diese antikantischen Ausführungen münden in dem Begriff der „schönen Seele": „In einer schönen Seele ist es also, wo Sinnlichkeit und Vernunft, Pflicht und Neigung harmonieren, und Grazie ist ihr Ausdruck in der Erscheinung." Und dieser Modebegriff der Zeit hat bei Schiller die prägnante Bedeutung dessen, was er als sittliche Harmonie bezeichnet: ein moralisches Handeln, das aus moralischer Neigung, angeborener Güte geschieht. Aber der Begriff des Schönen hat sich nun ganz ins Metaphorische aufgelöst, in einen Bereich, in dem er sich überhaupt im Gebrauch der abendländischen Sprachen eingebürgert hat. In der „Schönheit des Handelns", der „moralischen Schönheit" hat der Begriff der Schönheit keine gestalthaft ästhetische Bedeutung mehr – und eine „schöne Seele" muß keineswegs auch eine anmutige Gestalt sein.

Es geht in unserem auf die *Briefe über die ästhetische Erziehung* hinzielenden Zusammenhang nur um das Problem der Schönheit. Von dem Kapitel „Würde" mag hier nur so viel gesagt sein, daß die Darstellung des rein ethischen, mit Würde bezeichneten Verhaltens eben deshalb nicht solche Schwierigkeiten und Widersprüche aufweist, weil sie nicht mit der Vorstellung der Schönheit belastet ist. Eben der Begriff, der die Anmut konstituiert, die Harmonie von Sinnlichkeit und Vernunft, ist in der Bestimmung der Würde als Herrschaft der Vernunft über die Sinnlichkeit aufgehoben. Und erst dann, als Schiller beide Phänomene, Anmut und Würde, zu einer Synthese vereinigen will, die nun die Idee der Humanität ausmachen soll, treten erneut Widersprüche auf. „Sind Anmut und Würde ... in derselben Person vereinigt, so ist der Ausdruck der Menschheit in ihr vollendet", heißt es. Wenn aber zugleich bestimmt wird: Im würdigen Verhalten kann der Mensch „nicht mit seiner ganzen harmonierenden Natur, sondern ausschließlich nur mit seiner vernünftigen handeln, ist keine Zusammenstimmung zwischen Neigung und Pflicht, Vernunft und Sinnlichkeit möglich", so ist die Vorstellung schwer zu vollziehen, daß eine Harmonie von Vernunft und Sinnlichkeit, als Anmut, zugleich mit der Aufhebung dieser Harmonie, als Würde, in derselben Person vereinigt sein soll.

Der (zeitlich) kurze Weg, der von *Anmut und Würde* zu den *Briefen* führt, geht denn auch nicht über das Kapitel „Würde", sondern nimmt das Problem der Schönheit als neu zu stellendes in die nun freilich ganz andere Problemsituation der neuen Arbeit hinein. Auch in ihr bleibt der Zusammenhang der Idee der Schönheit mit der Idee des Menschen und der Menschheit erhalten. Aber die Idee der Schönheit wird nun nicht mehr als charakterologische Kategorie behandelt, sondern als kultur- und kunstphilosophische; und in so weit ausholenden wie schwierigen dialektischen Gedankengängen sucht Schiller ihre Funktion für die menschliche Gesellschaft darzustellen, die Idee der Humanität in ihr zu verankern wie auch jene in dieser.

Wenn auch die in den Jahren 1793 und 1794 Schiller beschäftigende Schönheitsidee [4] der innerste Impuls zur Weiterführung der ästhetischen Probleme war, ja die *Briefe* noch auf das vorkantische Gedicht *Die Künstler* zurückweisen und nach Schillers Worten an sie anknüpfen [5], so ist ihr Aufbau und zum großen Teil ihre Gedankenführung, zunächst schon die Briefform selbst durch einen äußeren Anlaß mitbestimmt worden. Sie sind entstanden aus den während des Jahres 1793 an den Herzog Friedrich Christian von Holstein-Sonderburg-Augustenburg in Kopenhagen geschriebenen Briefen, die ein huldigender Dank für das großherzige Stipendium waren, das dieser fürstliche Verehrer Schillers dem damals von schweren Krankheitsanfällen heimgesuchten

4. Kurz vor oder zum Teil noch gleichzeitig mit der Abfassung von *Anmut und Würde* hatte Schiller mit seinem Leipziger Freund Christian Gottfried Körner einen ausgedehnten Briefwechsel über das Schönheitsprinzip geführt, bekannt unter dem Namen „Kalliasbriefe", die jedoch von Schiller nie für den Druck bearbeitet worden sind. Sie waren aus seinem Studium der *Kritik der Urteilskraft* erwachsen, und ihr Thema und Ziel ist es, in Opposition zu Kant, der in der *Urteilskraft* das subjektive Schönheitserlebnis, das Geschmacksurteil, analysiert, eine objektive Definition der Schönheit zu finden, eine „Analytik des Schönen" auszuarbeiten. Er meinte sie in dem Satze „Schönheit ist Freiheit in der Erscheinung" gefunden zu haben, auf dessen Diskussion wir hier nicht eingehen können.

5. „Zehn Bogen sind bereits fertig, wo ... die reichhaltigsten Ideen aus den *Künstlern* philosophisch ausgeführt sind." (An Körner, 3. Februar 1794.)

Dichter verliehen hatte. Die sogenannten „Originalbriefe" sind bei einem Brand des Kopenhagener Schlosses gleich am 26. Dezember 1794 vernichtet worden. Nur ein Teil von ihnen ist durch Abschrift erhalten geblieben[6]. Schiller selbst hat die Briefe an den „Augustenburger", zum Teil gekürzt und in abstrakterer Form, für seine Zeitschrift *Die Horen* bearbeitet, in deren erstem und zweitem Stück sie 1795 erschienen.

Mit dem äußeren Zweck und Charakter der *Briefe* hängt mehr oder weniger nun die Problemstellung zusammen, der Gedanke der ästhetischen Erziehung selbst, wobei zunächst der Akzent auf der Erziehung und ihrer Notwendigkeit liegt. Denn der mit dem Problem des Schönen beschäftigte Dichter, der über diesen Gegenstand an eine fürstliche Person schrieb, hielt es für angezeigt, den Blick zunächst auf den politischen Schauplatz zu richten, der „ein so viel näheres Interesse darbieten" mochte als der „Schauplatz der schönen Kunst": die Französische Revolution, die den „philosophischen Untersuchungsgeist" auffordert, „sich mit dem Bau einer wahren politischen Freiheit zu beschäftigen" (2. Brief). Aber eben dieser Satz führt dennoch sogleich zum ästhetischen Thema zurück. Denn die „wahre" politische Freiheit war es für Schiller eben nicht, die sich in Frankreich darbot. Aber weit davon entfernt, die politischen Verhältnisse selbst darauf zu prüfen, benutzt Schiller diese Feststellung nur als Startrampe, von der aus sich die Untersuchung in die Sphäre der geschichts- und staatsphilosophischen Spekulation hinaufschwingt, in die dann die Theorie der ästhetischen Erziehung eingebaut wird. Die wahre politische Freiheit – dies ist die These – kann nur mit Hilfe der Schönheit zustande kommen, „weil es die Schönheit ist, durch welche man zur Freiheit wandert". Und es sei vorwegnehmend, doch auch aus den vorhergehenden Erörterungen verständ-

6. Sie sind abgedruckt in Schillers Briefe, hrsg. von F. Jonas, Bd. III, Nr. 641, 670, 692–94, 697.

lich, gesagt, daß diese Begriffe, vornehmlich der der Schönheit, in einem ganz spezifischen strukturellen Sinn gemeint sind, der wiederum auf Schillers dualistische Denkweise zurückgeht (wie sehr diese auch zur Synthese strebt) und in dem Gegensatz und „Antagonismus" von Sinnlichkeit und Vernunft fundiert ist.

Auf diesem Gegensatz beruht schon die geschichtsphilosophische Hypothese, von der Schiller ausgeht. Es wird die Entwicklung einer gedachten menschlichen Gesellschaft angenommen, die von einem Stande bloß „physischer Existenz" und Notwendigkeit, einem „Naturstaat", zu einem „sittlichen" oder „Vernunftstaat" führt. Dieser Übergang soll nun jedoch nicht von selbst und ohne weiteres vor sich gehen können. Denn es wird weiter angenommen, daß – mit Hilfe der Kantischen Kategorien Wirklichkeit und Möglichkeit – der physische und als solcher wirkliche, existierende Mensch „aufgehoben" würde, wenn der Naturstaat durch den sittlichen Staat ersetzt wird, weil der sittliche Mensch als solcher nicht wirklich, sondern nur „problematisch", das ist möglich sei, so daß – dies ist der daraus gezogene Schluß – der letztere, als nicht vorhanden, auch nicht zur Grundlage eines Vernunft- oder Gesetzesstaates dienen kann. Von einem empirisch historischen oder anthropologischen Gesichtspunkt aus ist es natürlich nicht ersichtlich, warum „die Leiter der Natur" dem Menschen „unter seinen Füßen . . . weggezogen" ist, wenn ihm Gesetze gegeben werden. Man muß beachten – und gerade eine solche Stelle ist dafür symptomatisch –, wie der dramatische Dichter nicht allein die Antagonisten seiner menschen- und geschichtsphilosophischen Szenerie aufstellt und gegeneinander bewegt, sondern auch vom selbstgesetzten Wort aus sein Ideensystem entwickelt: daß die Vernunft den Naturstaat „aufhebt", ist der verführerische Terminus, der als Prämisse gesetzt ist und nun das, worauf Schiller hinaus will – die Funktion der ästhetischen Erziehung, der Schönheit –, begründen soll: „von der Herrschaft bloßer Kräfte zu der Herrschaft der Gesetze einen Übergang" zu „bahnen". Die Schönheit stellt demnach einen „dritten Charakter", einen Zwischenzustand dar, der es möglich macht, den physischen Menschen so zuzubereiten, daß Vernunft, Gesetz und moralische Freiheit ihm „natürlich" wird und erst damit die wahre politische Freiheit, der echte sittliche Staat gegründet werden kann.

Dies ist die Problemstellung, die Konstruktion, die im 3. und 4. Brief in variierender Terminologie entwickelt wird und an die systematisch erst die zentralen Darlegungen des 11. bis 19. Briefes anschließen. In den dazwischen liegenden Briefen bedenkt Schiller die von ihm im rousseauschen Geiste pessimistisch beurteilte Verstandeskultur seiner Zeit und setzt ihr das Goldene Zeitalter der griechischen Antike entgegen, wo „die Sinne und der Geist noch kein streng geschiedenes Eigentum" hatten. Er geht in diesem Zusammenhang auch auf die sich dabei aufdrängende historische und seiner Geschichtshypothese widersprechende Erfahrung ein, daß ästhetische Kultur, der „Geschmack" und die Schönheit, ihren Zeitaltern oft gerade abträglich gewesen sind, „man beinahe in jeder Epoche der Geschichte, wo die Künste blühen und der Geschmack regiert, die Menschheit gesunken findet ... und man auch nicht ein einziges Beispiel aufweisen kann ..., daß schöne Sitten mit guten Sitten ... Hand in Hand gegangen wären" (10. Brief).

Aber Schillers Gesichtspunkt ist in seinen ästhetischen Schriften nicht empirisch und historisch, sondern spekulativ und metaphysisch. Die Schönheits- und die Menschheitsidee, um die es geht, hat „eine andere Quelle als die Erfahrung" (10. Brief). An dieser Stelle bricht die abendländische Tradition des Platonismus, daß heißt eines objektiven Idealismus durch, der bei Schiller niemals ganz vom kritischen subjektiven Idealismus Kants verdrängt war (und z. B. in Gedichten wie *Die Ideale, Das Ideal und das Leben, Die Worte des Wahns* und *Die Worte des Glaubens* deutlich durchscheint). Eine platonische Idee, ein „Vernunftbegriff der Schönheit" wird postuliert, der, ganz in platonischem Sinne, erst die schönen Erscheinungen, „das, was in der Erfahrung schön heißt", als schön erkennbar machen soll (10. Brief).

Wenn aber die Aufstellung einer solchen platonischen Idee ein traditionelles und philosophisch sozusagen legitimes Verfahren ist, so geraten wir in die spezifische Sphäre von Schillers Ideenkonstruktion, wenn nun ein struktureller Zusammenhang der Schönheitsidee mit der Menschheitsidee statuiert wird – wobei im Bereiche der Konstruktion es nicht entschieden werden kann, ob die geschichts- und staatsphilosophischen Hypothesen der ersten vier Briefe mit Hinsicht auf diese angestellt sind oder umgekehrt der genannte Zusammenhang auf jene bezogen ist. Schiller postuliert nämlich gleichzeitig „zwei reine Vernunftbegriffe", den der Schönheit und den der Menschheit, die gegenseitig die (strukturellen) Bedingungen füreinander abgeben. Die Schönheit soll sich „als notwendige Bedingung der Menschheit aufzeigen lassen", aber auf die Schönheit selbst soll aus „der Möglichkeit der sinnlich-vernünftigen Natur" gefolgert werden, das heißt aus den Komponenten, die die Idee des Menschen konstituieren. Dieser offenbar bewußt aufgestellte Zirkel soll Schiller den Weg bereiten helfen zu einer Humanitätsidee, die am Ende des Essays nichts mehr mit dem Ziel zu tun hat, das am Anfang aufgestellt wurde, der Möglichkeit einer wahren politischen Freiheit, eines sittlichen Staates. Denn nun wird gar nicht die Schönheit als Weg zur Menschheit aufgewiesen, sondern die Menschheit als Bedingung und Forderung für die Schönheit postuliert: „Sobald sie [die Vernunft] den Ausspruch tut: es soll eine Menschheit existieren, so hat sie eben dadurch das Gesetz aufgestellt: es soll eine Schönheit sein."

Dieser Satz (schon aus dem 15. Brief) nimmt die Forderung am Ende des 10. wieder auf. Denn nun wird, im 11. Brief, „der reine Begriff der Menschheit" zum Thema. Die Begriffe, die Schiller dabei einsetzt, Person und Zustand, drücken dieselbe dualistische Auffassung des Menschen aus, die sonst durch die Begriffspaare Vernunft und Sinnlichkeit, Freiheit und Natur usw. bezeichnet war, aber sie betreffen weit mehr als diese die Problematik der Geschichtlichkeit des Menschen und damit implizite seine spezifische Existenzproblematik, seine „Sein und Zeit"(Heidegger)-Existenz, lassen aber eben deshalb zunächst ganz und gar nicht den Gedanken an den Vernunftbegriff der Schönheit aufkommen, und es dürfte kein Zufall sein, daß diese Existenzanalyse überzeugender ist als die Schönheitsdefinition Schillers. Mit „Person" und „Zustand" wird die die menschliche Existenz konstituierende Selbsterfahrung der „personalen" Identität im Wechsel ihrer Zustände, und das ist in der Zeit, beschrieben. „Denn der Mensch ist nicht bloß Person überhaupt, sondern Person, die sich in einem bestimmten Zustand befindet. Aller Zustand aber, alles bestimmte Dasein entsteht in der Zeit, und so muß also der Mensch, als Phänomen, einen Anfang nehmen, obgleich die reine Intelligenz in ihm ewig ist" (11. Brief). Hier ist das Paradox erkannt, das ein Geheimnis des Ichbewußtseins genannt werden kann, nämlich daß das, was sich verändert, mein eigenes unveränderliches Ich ist: „Nur indem er [der Mensch] sich verändert, existiert er; nur indem er unveränderlich bleibt, existiert er. Der Mensch, vorgestellt in seiner Vollendung, wäre demnach die beharrliche Einheit, die in den Fluten der Veränderung ewig dieselbe bleibt" (11. Brief).

Doch im Grunde hätte es dieser an sich glänzenden und sozusagen echten phänomenologischen Bestimmungen, durch die das Zusammenwirken des Ich- und Weltbewußtseins beschrieben wird, kaum bedurft; denn zum Zwecke der nun folgenden Hypothesen werden Person und Zustand doch wieder auf die „Fundamentalgesetze der sinnlich-vernünftigen Natur" zurückgebracht und die Kategorien „Realität" und „Formalität", die nun eingesetzt werden, bereits durch diese begründet. Diese bekannten Gegensätze der „Realität" und „Formalität" aber dienen dazu, jenen Begriff zu erreichen, durch den der ästhetische Bereich konstituiert werden, die Idee der Schönheit in einen nicht mehr nur postulierten, sondern sozusagen funktionellen Zusammenhang mit derjenigen der Menschheit gebracht werden kann, nämlich den „Spieltrieb". Das heißt: die Begriffe Realität und Formalität, die nun Sinnlichkeit (Zustand) und Vernunft (Person) ersetzen, führen zunächst zur Einführung des Triebbegriffes überhaupt. An die sinnlich-vernünftige Natur werden zwei einander „entgegengesetzte Anforderungen" gestellt: diejenige auf „absolute Realität" und die auf „absolute Formalität", welche „ganz schicklich" als sinnlicher oder Stofftrieb und Formtrieb bezeichnet werden können[7]. Es ist ganz deutlich, daß es sich bei diesen Trieben wieder um ein Postulat, ja im Grunde um bloße Bezeichnungen handelt, nicht um wahre „Triebe" oder Aktivitäten, da sie eben den Inhalt haben, der bereits durch die Begriffe Sinnlichkeit und Vernunft, Zustand und Person beschrieben und definiert ist. „Der erste dieser Triebe, den ich den sinnlichen nennen will, geht aus von dem physischen Dasein des Menschen oder von seiner sinnlichen Natur und ist beschäftigt, ihn in die Schranken der Zeit zu setzen und zur Materie zu machen", und „der zweite jener Triebe, den man den Formtrieb nennen kann, geht aus von dem absoluten Dasein des Menschen oder von seiner vernünftigen Natur und ist bestrebt, ihn in Freiheit zu setzen ... und bei allem Wechsel des Zustands seine Person zu behaupten" (12. Brief) –

7. Der Begriff des Triebes spielt in Fichtes *Grundlage der gesamten Wissenschaftslehre*, die er 1794 in Jena vortrug und im selben Jahre drucken ließ, eine Rolle. Er tritt dort nur in Verbindung mit „Realität", die als „bloßer Stoff" bezeichnet wird, auf, und zwar derart, daß er „auf eine gewisse Bestimmung des Stoffes ... geht" (3. Teil, § 10). Wenn Schiller, der im 13. Brief auf die *Wissenschaftslehre* hinweist, diesen Begriff von Fichte bezogen hat, so hat er ihn doch für seine Zwecke vereinfacht (unter Absehung der komplizierten Verhältnisse von Fichtes Ich- und Nicht-Ich-Setzungen) und gemäß seinem antithetischen Denken den Formtrieb dazu gebildet.

eben das, was bereits durch diese Begriffe selbst, wie oben gezeigt wurde, zum Ausdruck gebracht worden war.

Aber so sind auch diese Begriffe, Stoff und Form, nicht zum Zwecke neuer Erkenntnisse über die bereits durch die anderen Begriffe definierten Verhältnisse eingeführt, sondern im Hinblick auf den ästhetischen Bereich. Form und Stoff sind Begriffe, die weniger auf die Natur des Menschen als auf die Kunst passen; und später, im 22. Brief, steht denn auch der berühmte und bedeutende Satz: „Darin also besteht das eigentliche Kunstgeheimnis des Meisters, daß er den Stoff durch die Form vertilgt." – Diese Begriffe aber waren schon an sich geeignet, Schiller in der Kette seiner Begriffsbildungen weiter und zu seinem Ziele zu führen, und zwar der der Form mehr noch als der des Stoffes, der sich ohnedies leicht mit den anderen Begriffen Sinnlichkeit, Materie, Realität assoziieren ließ. Der Begriff der Form ist ja schon als solcher durch die metaphorische Übertragung seiner räumlich-gestaltmäßigen Bedeutung auf geistige Verhältnisse „belastet", wenn man will; und dies wurde prägnant durch die Terminologie der Kantischen Erkenntnistheorie, der Lehre von den Formen der Anschauung. Im Raume der idealistischen Philosophie konnte der Begriff der Form die mehr oder weniger prägnante Bedeutung eines geistigen Prinzips annehmen, dem es wesentlich ist, eine Aktivität darzustellen, die Ungestaltetes, Amorphes ordnend bearbeitet derart, daß der Begriff Form nun überhaupt mit dem des Geist-Vernunft-Person-Prinzips zusammenfließen konnte. So konnte bei Schiller Formtrieb sowohl die Aufrechterhaltung des Personbewußtseins bedeuten (als „geprägte Form, die lebend sich entwickelt", wie es Goethe gesagt hat) wie aber auch leicht aus dieser unräumlichen, „gestalt"-losen Vorstellung die dem „natürlichen" Formbegriff anhaftende Vorstellung der Gestalt annehmen. Es konnte der Formtrieb, der die Ursache ist, daß „das niemals wechselnde Ich" sich im Wechsel seines Zustands als identisch dasselbe behauptet, einen „Gegenstand" haben, der, „in einem allgemeinen Begriff ausgedrückt, Gestalt heißt, sowohl in uneigentlicher als in eigentlicher Bedeutung" (15. Brief) – eine Stelle, die besonders deutlich zeigt, daß Schiller sich der „uneigentlichen", das heißt metaphorischen Bedeutungen seiner Begriffe bewußt war. Eben deshalb konnten sie auf die verschiedenste Weise kombiniert werden. – Wurde dem Stofftrieb zum Gegenstande „Leben" gegeben, dessen biologische Bedeutung sich leicht mit der des Stoffs und der Sinnlichkeit verbinden ließ, so konnte eine ähnliche aus „Vernunft und Sinnlichkeit" gebildete Synthese entstehen wie diejenige, die den „Vernunftbegriff der Menschheit" darstellte: „lebende Gestalt". Sie ist es, die als Schönheit präsentiert wird, „ein Begriff, der allen ästhetischen Beschaffenheiten der Erscheinungen und mit einem Worte dem, was man in weitester Bedeutung Schönheit nennt, zur Bezeichnung dient" (15. Brief). – Der Trieb aber, der sie zum Gegenstande hat, ist, entsprechend, die Synthese von Form- und Stofftrieb, und es wird dieser Trieb nun mit Hinsicht auf den ästhetischen Bereich als Spieltrieb bezeichnet (14. Brief).

Der berühmte Schillersche Spielbegriff pflegt wohl aufgerufen zu werden, wenn die Eigenart des ästhetischen Erlebens, sei es aktiv schöpferischer oder passiv genießender Art, bezeichnet werden soll. Doch geschieht dies dann meist in einem Sinne, der mehr dem Kantischen „Wohlgefallen ohne Interesse" nahekommt, also im Sinne der Zweckfreiheit des Ästhetischen, ja entsprechend Schillers eigener Formulierung im Gedicht: „Ernst ist das Leben, heiter ist die Kunst" (Prolog zu *Wallenstein*). Im Zusammenhang seines ästhetischen Systems jedoch hat der Begriff Spiel keine Verwandtschaft mit dem Zustand oder der Tätigkeit, die sonst darunter verstanden werden, mit jenem Gegensatz zum Ernst und zur Realität des Lebens, mit *dem* Sinn von Spiel, für den keineswegs gilt, was Schiller in dem berühmten Satz des 15. Briefes aussagt: „Der Mensch spielt nur, wo er in voller Bedeutung des Worts Mensch ist, und er ist nur da ganz Mensch, wo er spielt." Was „ganz Mensch" sein hier nämlich bedeutet, ist in strengem systematischen Sinne durch alle bis dahin aufgestellten antithetischen Begriffe vorgegeben: die Synthese oder harmonische Zusammenstimmung der Wesensteile des Menschen, die aber nicht durch den (existierenden) Menschen selbst, nicht durch die Tatsache, daß er Person ist, die sich in einem bestimmten Zustand befindet, daß er sinnlich-vernünftiges Wesen ist, Erscheinung werden kann, sondern nur durch die Schönheit, die, als lebende Gestalt, eben deshalb ebenso strukturiert ist oder sein muß, wie die Idee des Menschen strukturiert ist oder sein muß. Spiel also bedeutet hier nur – in eigentümlicher Abstraktion vom sozusagen natürlichen Sinn und Begriff des Spiels – Anschauung der Schönheit und damit den ästhetischen Zustand. In ihm erfährt der Mensch eine symbolische Repräsentation von sich selbst als Idee, in der Anschauung der Schönheit „eine vollständige Anschauung seiner Menschheit“ (14. Brief), und, so heißt es an dieser noch auf die Spieldefinition vorweisenden, aber sie bereits formulierenden Stelle, „der Gegenstand, der diese Anschauung ihm verschaffte, würde ihm zu einem Symbol seiner ausgeführten Bestimmung . . . dienen“.

Die symbolische Funktion der Schönheit für das Bewußtsein des Menschen von seiner spezifischen Humanität ist der zentrale und eigentümlichste Gedanke des großen Essays, wie immer er auch nur durch den Zirkel der gegenseitigen Entsprechung von Menschheits- und Schönheitsidee begründet ist. Im begrifflich spekulativen Raum dieser Entsprechungen und Setzungen stören empirische Gegebenheiten nicht. Die Gedankengänge Schillers werden erst wieder schwieriger, wenn die Idee des ästhetischen Zustands auf eine gedachte geschichtliche Entwicklung des Menschengeschlechts angewandt, das heißt die Erziehungsidee begründet werden soll. Denn mit der einfachen Tatsache der Erziehung zur Kultur und demgemäß mit Hilfe kultureller Faktoren, als deren einer auch die Kunst ein je und je erprobtes Mittel gewesen ist und sein wird, begnügt sich Schiller natürlich nicht. Er verankert auch sie in der Struktur der gesetzten Ideen der Menschheit und Schönheit; und angewendet auf historische Phänomene, werden darum Hypothesen notwendig, die sich immer weiter von der Erfahrung entfernen. In Variation der Ausgangsthesen über Natur- und Vernunftstaat wird nun ein Übergang des Menschen vom Empfinden zum Denken oder Selbstbewußtsein angenommen – andere Ausdrücke für Sinnlichkeit und Vernunft und unmittelbar bezogen auf die Erfahrung von Realität, bestimmter Existenz und, wie es heißt, „absoluter Existenz", Zustand und Person also (19. Brief). Die Folgerungen sind damit gegeben: Da dieser Übergang „nicht unmittelbar" erfolgen kann (20. Brief), muß die „Macht der Empfindung", des Sinnlichen gebrochen werden, da sonst die Vernunft sich nicht geltend machen kann (23. Brief). Denn, erklärt Schiller, als empfindendes Wesen ist der Mensch leidend oder passiv, als denkendes dagegen aktiv oder tätig. Die Aktivität kann nicht in Funktion treten, solange die Passivität dauert. Diese aber kann nicht ohne weiteres durch Tätigkeit ersetzt werden. Ein mittlerer Zustand, der ästhetische, wird notwendig, in dem der Mensch beginnt, sich der Möglichkeit bewußt zu werden, von der Passivität des physischen Zustandes frei werden zu können. Er muß in einen freien Zustand versetzt werden, in dem er nicht mehr unter der „leidenden Bestimmung" steht, aber auch noch nicht den Forderungen der „Selbsttätigkeit der Vernunft" gehorchen muß. Dies ist der neutrale Zustand, wo er „zugleich leidend und tätig bestimmt"[8] ist (23. Brief), in früherer Terminologie also Stoff- und Formtrieb gleichzeitig wirken. Dies nun besagt, daß die Vernunft schon im sinnlichen Zustand des Empfindens zu herrschen beginnt, ein Resultat, das nur im ästhetischen Zustand erreicht werden kann, weil die Schönheit gleichzeitig dem Reich der Sinne und dem der Ideen angehört. Unter der Herrschaft der Schönheit kann der Mensch

8. Auch dies sind Fichtesche Ausdrücke.

sich von seiner „Tierheit", der sinnlichen Gebundenheit, befreien, doch ohne diese unter seinen Füßen zu verlieren (wie er, so wird angenommen, dies unter der Herrschaft der „Wahrheit", also der Vernunft, tut). „Die Schönheit ist allerdings das Werk der freien Betrachtung, und wir treten mit ihr in die Welt der Ideen – aber was wohl zu merken ist, ohne darum die sinnliche Welt zu verlassen, wie bei Erkenntnis der Wahrheit geschieht" (25. Brief). Auf diese Weise wird die Macht der Sinnlichkeit schon innerhalb ihres eigenen Bereiches gebrochen. Der physische Mensch kann empfänglich und reif für die Freiheit und die Entwicklung seines Geistes werden. Und da nach Schillers Bestimmungen der geistige Faktor der Schönheit die Form ist, besteht die wichtigste Aufgabe der ästhetischen Erziehung darin, schon in seinem physischen Zustand den Menschen der Form zu unterwerfen. Das Erlebnis von „Freiheit und Form" (Cassirer) beginnt in dem wie immer hypothetischen historischen Augenblick, wo die Freude am Schein, die Neigung für Schmuck und schöne Formen sich geltend macht. Schiller betont, daß dieser schöne oder ästhetische Schein nicht mit moralischem Schein, das ist Falschheit, Lüge, Heuchelei, verwechselt werden darf. Höflichkeit ist keine Heuchelei, weil sie nicht Ausdruck für persönliche Gefühle zu sein braucht, sondern nur für den Sieg der Form über persönliche Affekte (ein Thema, das Schiller dann ausführlicher in dem Aufsatz *Über den moralischen Nutzen ästhetischer Sitten* [1793/96] behandelt hat). Im Gegensatz zu allen kulturpessimistischen Auffassungen im rousseauschen Stil (die Schiller zu Beginn der *Briefe* noch nicht widerlegen zu können glaubte) verkündet und begründet er nun seine auf deduktivem Wege gewonnene Überzeugung von der veredelnden Macht der Form, des Geschmacks, der Kunst, des ästhetischen Scheins. Die *Briefe* schließen (oder brechen nur ab) mit einer Apotheose des „ästhetischen Staates", dessen Beschreibung die einer kultivierten Gesellschaft ist (wie sie etwa der Hof von Ferrara in Goethes *Tasso* repräsentiert).

Indem aber der ästhetische Staat als Ziel der ästhetischen Erziehung und der Entwicklung des Menschen aufgestellt wird, hat sich der Gedankengang, der angekündigt gewesen war, verschoben: daß es die Schönheit ist, durch welche man zur Freiheit wandert. Der ästhetische Staat ist kein Mittel und Durchgangsstadium zum ethischen Staat, sondern Selbstzweck und Ziel, ja sogar ein utopisches Ziel. Denn die Frage nach seiner Wirklichkeit – „Existiert aber auch ein solcher Staat des schönen Scheins, und wo ist er zu finden?" – wird mit der nahezu die Erziehungsidee wieder aufhebenden Resignation beantwortet, daß er zwar „dem Bedürfnis nach ... in jeder feingestimmten Seele [existiert]; der Tat nach möchte man ihn wohl nur, wie die reine Kirche und die reine Republik, in einigen wenigen auserlesenen Zirkeln finden, wo ... eigene schöne Natur das Betragen lenkt" und „der Mensch ... weder nötig hat, fremde Freiheit zu kränken, um die seinige zu behaupten, noch seine Würde wegzuwerfen, um Anmut zu zeigen" (27. Brief). Aus diesem Schlußsatz der *Briefe* kann, ja muß man herauslesen, daß letztlich der Mensch zur Humanität nicht erzogen werden kann, sondern diese nur bei den „wenigen auserlesenen" anzutreffen ist, die schon an sich „durch eigene schöne Natur" „zur Humanität gebildet" sind – wie dies einmal Herder (in den *Ideen zur Philosophie der Geschichte der Menschheit*) formuliert und allerdings als Anlage des Menschen überhaupt optimistisch proklamiert hatte.

Der Dichterphilosoph Schiller aber hatte die „Vernunftbegriffe" der Menschheit und der Schönheit in der Höhe der Spekulation, in einem platonischen Ideenhimmel dialektisch gegeneinander bewegt – und Resignation war sein Blick auf die Erfahrung. An einer Stelle des 15. Briefes sucht er das Faktum zu deuten, daß die Griechen „in den Olympus versetzten, was auf der Erde sollte ausgeführt werden". Das Ideal, die „Gestalt", erhält seinen Platz jenseits des Lebens; und wenn die Griechen „den Müßiggang und die Gleichgültigkeit zum beneideten Lose des Götterstandes" machten, so war dies „ein bloß menschlicherer Name für das freieste und erhabenste Sein". – Im Gedicht *Das Ideal und das Leben*, das noch im selben Jahre 1795 wie die *Briefe* in den *Horen* (unter dem Titel *Das Reich der Schatten*) erschien, ist es nur Herkules, „der Gott des Irdischen entkleidet", der „in des Ideales Reich", ins Reich der Schönheit, der „Gestalt" emporsteigt, dort, wo allein „der Menschheit Götterbild" anzutreffen ist.

Der Dramatiker Schiller zeigt in der neuen großen Dramenperiode, die nach der Periode der philosophischen Schriften mit dem *Wallenstein* einsetzt, seine Helden im Kampf ihrer Person mit ihrem Zustand, ihrer Freiheit mit ihrer Unfreiheit. Die beiden großen ästhetischen Schriften aber haben, ungeachtet ihrer gedanklichen und denn auch gerade als solche nicht zufälligen Schwierigkeiten, die unvergängliche geistesgeschichtliche Bedeutung, die prägnanteste theoretische und sprachlich eindrücklichste Ausformung der klassischen deutschen Humanitätsidee darzustellen.

Käte Hamburger

Friedrich Schiller

EINZELAUSGABEN IN IN RECLAMS UNIVERSAL-BIBLIOTHEK

Die Braut von Messina oder Die feindlichen Brüder. Trauerspiel mit Chören. Mit der Einleitung Schillers »Über den Gebrauch des Chors in der Tragödie« und einem Nachwort. 103 S. UB 60

Demetrius. Dramenfragment und Aufzeichnungen. Herausgegeben von Wolfgang Wittkowski. 144 S. UB 8558

Don Carlos, Infant von Spanien. Dramatisches Gedicht. 192 S. UB 38 – dazu *Erläuterungen und Dokumente.* 238 S. UB 8120

Gedichte. Auswahl und Einleitung von Gerhard Fricke. 192 S. UB 7714

Die Jungfrau von Orleans. Romantische Tragödie. Mit einem Nachwort. 128 S. UB 47 – dazu *Erläuterungen und Dokumente.* 160 S. UB 8164

Kabale und Liebe. Bürgerliches Trauerspiel. 128 S. UB 33 – dazu *Erläuterungen und Dokumente.* 147 S. UB 8149

Kallias oder über die Schönheit. Über Anmut und Würde. Herausgegeben von Klaus L. Berghahn. 173 S. UB 9307

Maria Stuart. Trauerspiel. Anmerkungen von Christian Grawe. 192 S. UB 64 – dazu *Erläuterungen und Dokumente.* 214 S. UB 8143

Die Räuber. Schauspiel. Anmerkungen von Christian Grawe. 168 S. UB 15 – dazu *Erläuterungen und Dokumente.* 232 S. UB 8134

Turandot, Prinzessin von China. Tragikomisches Märchen nach Gozzi. Nachwort von Karl S. Guthke. 91 S. UB 92

Über die ästhetische Erziehung des Menschen in einer Reihe von Briefen. Nachwort von Käte Hamburger. 150 S. UB 8994

Über naive und sentimentalische Dichtung. Herausgegeben von Johannes Beer. 127 S. UB 7756

Der Verbrecher aus verlorener Ehre und andere Erzählungen (Eine großmütige Handlung. Der Spaziergang unter den Linden. Spiel des Schicksals. Herzog von Alba bei einem Frühstück auf dem Schlosse zu Rudolstadt). Nachwort von Bernhard Zeller. 70 S. UB 8891

Die Verschwörung des Fiesco zu Genua. Republikanisches Trauerspiel. 120 S. UB 51 – dazu *Erläuterungen und Dokumente.* 263 S. UB 8168

Vom Pathetischen und Erhabenen. Ausgewählte Schriften zur Dramentheorie. Herausgegeben von Klaus L. Berghahn (Die Schaubühne als eine moralische Anstalt betrachtet. Über den Grund des Vergnügens an tragischen Gegenständen. Über die tragische Kunst. Über das Pathetische. Über das Erhabene. Über epische und dramatische Dichtung. Über den Gebrauch des Chors in der Tragödie und Komödie). 158 S. UB 2731

Wallenstein. Dramatisches Gedicht.
I Wallensteins Lager. Die Piccolomini. 128 S. UB 41
II Wallensteins Tod. 128 S. UB 42
Zu I u. II: *Erläuterungen und Dokumente.* 294 S. UB 8136

Wilhelm Tell. Schauspiel. 112 S. UB 12 – dazu *Erläuterungen und Dokumente.* 111 S. UB 8102

Interpretationen: *Schillers Dramen.* Herausgegeben von Walter Hinderer. 431 S. UB 8807

Oellers, Norbert: *Schiller.* 88 S. 10 Abb. UB 8932

Philipp Reclam jun. Stuttgart